MaryJanice Davidson vit dans le Minnesota. Elle écrit dans de nombreux genres littéraires : romance contemporaine, romance paranormale, érotisme... Elle est gentille avec certains enfants et il lui arrive, parfois, de bien traiter les petits animaux. Elle adore parler d'elle à la troisième personne.

Du même auteur, chez Milady :

Queen Betsy :
1. *Vampire et Célibataire*
2. *Vampire et Fauchée*
3. *Vampire et Complexée*
4. *Vampire et Irrécupérable*

www.milady.fr

MaryJanice Davidson

Vampire et Irrécupérable

Queen Betsy – 4

Traduit de l'anglais (États-Unis) par Cécile Tasson

Milady

Milady est un label des éditions Bragelonne

Titre original : *Undead and Unreturnable*

Suivi d'un extrait de : *Undead and Unpopular*

Illustration de couverture :
Maureen Wingrove

ISBN : 978-2-8112-0552-2

Bragelonne – Milady
60-62, rue d'Hauteville – 75010 Paris

E-mail : info@milady.fr
Site Internet : www.milady.fr

À la mémoire de mon grand-père, John Opitz,
qui m'a appris à donner le meilleur de moi-même
sans rechigner à l'effort.
Malheureusement, comme toute autre leçon de vie,
elle m'est passée au-dessus de la tête.

Remerciements

En premier lieu, comme d'habitude, je dois absolument remercier mes enfants car ils sont adorables, intelligents et capables de s'occuper tout seuls lorsque leur mère s'enferme dans son bureau pour boucler ses derniers chapitres. Ils préféreraient sûrement ma compagnie à quelques phrases dans un livre, mais ce serait trop attendre de moi : je ne suis pas une mère modèle.

Des remerciements par milliers – pour accompagner mes baisers – à mon époux, Anthony, à qui je dois le terme « métrosexualité sinistre » et qui aime Betsy autant qu'il m'aime moi. Il supporte sans broncher les sautes d'humeur, les discours interminables et le rabâchage qui vont de pair avec la vie d'un auteur grand public. Je ne l'en aime que davantage.

Merci également à Jessica Growette, mon attachée de presse/meilleure amie/*alter ego* maléfique qui semble passer ses nuits à réfléchir à un plan d'action pour conquérir le monde. C'est génial de sa part… mais un chouia effrayant.

Je ne dois surtout pas oublier les Magic Widows. J'apprends des choses tous les jeudis. Et parfois, j'arrive même à les retenir !

Je tiens aussi à remercier plus personnellement Carl Hiaasen, John Sandford et Laurell K. Hamilton qui continuent à m'apprendre les ficelles du métier.

Enfin, un grand merci aux lecteurs qui suivent les péripéties de Betsy et tiennent à connaître la suite. Merci de nous avoir rejoints et de prendre part à l'aventure.

Note de l'auteur

Voir tous ces livres, films, magazines et articles du *National Enquirer* sur les tueurs en série a attisé ma curiosité. Après quelques recherches, j'ai découvert qu'en vérité, le nombre approximatif de psychopathes se promenant dans la nature se situerait entre dix et cinq cents personnes – il est bien sûr impossible d'obtenir des chiffres exacts.

Admettons que les experts soient complètement à côté de la plaque et multiplions leurs approximations par trois : mille cinq cents. Sachant qu'il y a trois cents millions d'habitants aux États-Unis, environ 0,0000005 % d'entre nous seraient des meurtriers en puissance. Dans ces conditions, il va sans dire que vous n'avez pas beaucoup de chances de vous retrouver nez à nez avec l'un d'eux.

En revanche, Betsy, elle, doit faire face à des problèmes qu'aucun d'entre nous ne rencontrera jamais. Dans cette histoire, l'inspecteur Nick Berry et elle gagnent le gros lot des tueurs en série, mais c'est comme boire du sang ou remplir des rapports de police sans fin : le reste de la population ne s'en souciera jamais.

Enfin, la colique est un enfer, mais ne dure pas éternellement.

Extraits du *Livre des Morts* :

La Reyne reconnoîtra les morts, sans exception,
et ils ne pourront se cacher d'elle, ni lui dissimuler le
moindre secret.

Elle reconnoîtra le mal sous de nombreuses formes et,
tant que vivra la volonté de la Reyne, sa volonté sera
de le vaincre et de protéger et venger les morts.

« C'est comme une araignée avec un fil de soie, hein ? Tu en as déjà vu une se jeter dans le vide pour tisser ? Elle prend des risques chaque fois. Elle est obligée de le faire pour créer. Oh ! je suis sûre que ce n'est pas une sensation agréable, même pour une araignée. »

Élégamment vôtre, Olivia Goldsmith,
traduit de l'anglais (États-Unis) par Edith Ochs,
Albin Michel, Paris, 1996.

« Il n'est vraiment pas si mal, ce sapin, mais il me semble qu'il a besoin d'amour, tout simplement. »

Joyeux Noël, Charlie Brown !
Produit par la Warner Bros en 1965.

« Qui que vous soyez, pour un mort vous sentez plus la cave que le caveau. »

Un chant de Noël, Charles Dickens,
traduit de l'anglais par Alain Gnaedig (avec la
collaboration de Rémy Lambrechts),
Gründ, Paris, 2006.

Prologue

Extrait du St Paul Pioneer Press
Le 15 décembre 2005

Une troisième femme retrouvée morte à Minneapolis, Minnesota !

Le corps d'une habitante de la banlieue cossue d'Edina, Cathie Robinson, 26 ans, a été retrouvé ce matin aux environs de 6 h 30 sur le parking du *Wal-Mart* de Lake Street. Les médecins légistes ont conclu à une mort par strangulation. Elle avait été portée disparue le 13 décembre dernier. Elle serait la nouvelle victime supposée du tristement célèbre « tueur des parkings », coupable d'au moins trois meurtres à ce jour.

L'inspecteur Nick Berry, qui travaille en collaboration étroite avec le FBI depuis la découverte du corps de la seconde victime, Martha Lundquist, le 23 novembre dernier, affirme que plusieurs pistes sont actuellement à l'étude. « Cette enquête est notre priorité, nous a-t-il confié. Aucune autre affaire ne passera avant celle-ci. »

Mlle Lundquist avait été portée disparue le 8 novembre. Son corps avait été découvert deux jours plus tard sur le parking du magasin *Target* de White Bear Lake.

Le FBI a élaboré un profil du tueur en série : ses victimes de prédilection semblent être de grandes femmes blondes aux yeux clairs et aux cheveux courts. Même si son arrestation est « imminente », Berry incite les femmes à la prudence lorsqu'elles quittent leur lieu de travail.
Selon certaines sources, le tueur des parkings aurait également frappé dans l'Iowa, le Missouri et l'Arkansas.
Les agents du FBI et de la police locale pensent que Katie Johnson, 27 ans, fut sa première victime : portée disparue le 28 octobre, elle avait été retrouvée morte le 4 novembre sur le parking du *Lakeville McStop*.

Extrait du Star Tribune
(rubrique des naissances)
Le 17 décembre 2005

Anthonia Taylor et John Peter Taylor (Edina, Minnesota) ont la joie de vous annoncer la naissance de leur fils Jonathon Peter Taylor II, le 15 décembre 2005 à 12 h 05 à la clinique *Fairview Ridges*.

Chapitre premier

Elizabeth Ann Taylor
25 avril 1974 - 25 avril 2004
À notre fille bien-aimée, seulement endormie

Voilà ce qui était écrit sur ma tombe.

— C'est vraiment déprimant, fit remarquer Jessica Watkins, ma meilleure amie.

— Ça fait bizarre ! ajouta ma sœur, Laura Goodman, sans détourner les yeux de la pierre. Vraiment très, très bizarre !

— « À notre fille bien-aimée, seulement endormie » ? lus-je tout haut. Qu'est-ce que c'est censé vouloir dire ?

— Je trouve ça plutôt joli, répondit Laura d'une voix légèrement hésitante.

Avec ses longs cheveux blond vénitien, ses grands yeux bleus et son caban rouge, elle semblait sortir tout droit d'un rêve de vieux pervers. En général, les enfants de pasteurs ont tendance à se déchaîner lorsqu'ils quittent le foyer familial. Dans le cas de Laura, la fille du diable – sans rire –, c'était tout le contraire : elle essayait d'agir de la façon la plus raisonnable et gentille possible. Un plan machiavélique !

— C'est différent de ce qu'on voit d'habitude. La plupart des gens que je connais se seraient contentés d'un verset biblique. Ta maman a été plus inspirée.

— En y réfléchissant, intervint Jessica en passant la main dans ses cheveux noirs lissés sur sa nuque, c'est un peu prophétique, tu ne trouves pas ?

Comme d'habitude quand elle s'attachait les cheveux, elle les avait tellement tirés en arrière que l'arc de ses sourcils lui donnait l'air constamment surprise. Toutefois, étant donné l'endroit où nous nous trouvions, elle l'était peut-être réellement.

— Je trouve surtout que je n'ai pas envie de passer le dix-septième jour de décembre devant ma tombe. Voilà ce que je pense !

C'était déprimant et déplaisant à la fois... comme un avant-goût de fêtes de fin d'année.

Jessica soupira de nouveau avant de poser la tête contre mon épaule.

— Pauvre Betsy ! Je n'arrive toujours pas à m'en remettre ! Tu étais si jeune !

Laura sourit d'un air taquin.

— Comme si la crise de la trentaine n'était pas suffisamment traumatisante ! Pauvre Betsy !

— Si jeune !

— Ce n'est pas bientôt fini vous deux ? Je suis là, au cas où vous l'auriez oublié ! (Boudeuse, je glissai mes mains dans les poches de mon manteau.) Il fait au moins -20 °C ! Je suis en train de geler !

— Tu as toujours froid ! C'est ta faute : tu as encore oublié tes gants, alors tu n'as pas le droit de râler ! Et pour ta gouverne, il fait 2 °C, espèce de gros bébé !

— Tu veux mon manteau ? me proposa Laura. Je ne ressens pas vraiment le froid.

— Encore un de tes nombreux pouvoirs maléfiques ! rétorqua Jessica. On l'ajoutera à la liste, après les armes forgées dans les flammes de l'enfer et ta faculté à calculer les pourboires à 22 % en moins de dix secondes. Au fait, Bets, tu veux bien me rappeler ce que ta pierre tombale fabrique ici ?

Je lui expliquai la situation pour, je l'espérai, la dernière fois de la journée. J'étais donc décédée au printemps dernier et m'étais réveillée à l'aube le jour de mes funérailles pour m'aventurer dans le monde des morts-vivants. Faute de corps, l'enterrement avait été annulé.

Toutefois, après une dispute interminable avec mon père et ma belle-mère à propos de la somme à dépenser pour une pierre tombale en marbre, ma mère s'était dépêchée de l'acheter. Mais quand celle-là avait été prête à être livrée, les funérailles, la cérémonie, l'enterrement : tout avait été annulé. Désormais, ma famille connaissait la vérité sur ma condition. Jessica aussi. On avait alors raconté à mes collègues et autres amis que les funérailles étaient une blague – de très mauvais goût.

Quoi qu'il en soit, ma stèle avait été stockée dans un entrepôt pendant six mois. Ma belle-mère insistait pour graver mes initiales et mes dates de naissance et de mort sur du simple granite bon marché. Visiblement, même dans ce genre de situation, il n'y avait pas de petites économies pour le Thon. Mon père, lui, avait préféré ne pas s'en mêler, comme chaque fois que ma mère et Anthonia se disputaient.

Au bout de quelques mois, les pompes funèbres avaient contacté ma mère pour s'enquérir poliment de ce qu'elle comptait faire de ma pierre tombale. Puisque la concession avait également été payée, elle leur avait demandé de la planter dans la terre, deux jours avant notre déjeuner. Elle m'en avait ensuite parlé au beau milieu du repas. Imaginez la conversation : « S'il vous plaît ! Je vais prendre une soupe de tomate avec des croûtons au parmesan. Oh ! Au fait, ma chérie, hier, j'ai fait installer ta tombe au cimetière. »

Une curiosité morbide poussait Jessica et Laura à aller la voir. Je les avais accompagnées. Pourquoi pas, après tout ? J'avais besoin de m'éloigner un peu des préparatifs du mariage et des cartes de vœux.

— Ta mère, reprit Jessica, est un incroyable modèle d'efficacité !

Laura rayonna.

— C'est vrai ! Le docteur Taylor est si gentille !

— Et moi qui croyais que ma belle-mère ne pouvait pas sombrer plus bas dans la connerie… Sans vouloir te blesser, Laura.

Techniquement, le Thon était la mère biologique de Laura : longue histoire !

— Ça ne me blesse pas, répondit-elle d'un ton enjoué.

— Bon, ça y est ? Votre curiosité malsaine est satisfaite ?

— Attends ! Attends !

Quand Jessica déposa un bouquet d'arums blanc crème sur ma tombe, je faillis hurler. Je pensais qu'elle les avait achetés pour décorer une des centaines de tables de la maison. Sûrement pas pour fleurir ma tombe ! Quelle horreur !

— Voilà !

— Prions, suggéra Laura.

— Pas question ! Putain, vous êtes complètement cinglées, toutes les deux !

— Surveille ton langage ! rétorqua ma sœur.

— Il est hors de question que l'on prie sur ma tombe ! Rien que le fait de me trouver ici me met mal à l'aise. Ce serait la goutte d'eau qui ferait déborder le vase de la bizarrerie. Vous êtes dingues !

— Critique tant que tu voudras : ce n'est pas moi qui suis un régime liquide, Ô Reine des Vampires ! Bon, si on ne prie pas, autant s'en aller.

— Oui, répondis-je en jetant un dernier coup d'œil à ma tombe. Allons-y.

Chapitre 2

— Bonsoir, Votre Majesté !

— Tina, ma chérie ! la saluai-je à mon tour, tout en ajoutant de la crème à mon thé. Viens t'asseoir à côté de moi. Prends une tasse de thé.

— Depuis quand êtes-vous réveillée ?

— Environ deux heures, répondis-je en essayant de ne pas paraître trop fière de moi.

Dieu avait enfin répondu à mes prières : ces derniers temps, je me réveillais vers 16 heures. Évidemment, comme je vivais dans le Minnesota et qu'on était en décembre, la nuit était aussi noire à cette heure-là qu'à 20 heures, mais c'était un détail.

— Vous n'avez pas… vous n'avez pas encore lu le journal ? dit-elle en s'asseyant en face de moi.

Le *Star Tribune* était plié sous son bras. Elle le déposa près de moi sans prêter aucune attention à la théière.

— Pas encore ?

— Je n'aime pas la façon dont tu me dis ça, mais alors, pas du tout !

En la voyant hésiter, je me préparai au pire. Tina était une vampire de longue date, ridiculement belle, comme la plupart des créatures de son espèce. Elle était entièrement dévouée à Sinclair et donc, par extension, un peu à moi. Tout avait commencé quand elle l'avait transformé bien des années auparavant. Puis, plus récemment, elle nous avait aidés à monter sur le trône. Aujourd'hui, elle nous protégeait et vivait avec nous (je vous arrête tout de suite : ce n'est pas du tout ce que vous croyez ! Beuuuurk !). En gros, elle ressemblait à un majordome… mais en plus petit et plus mignon. Je suppose que ça faisait d'elle un minordome.

Elle avait de grands yeux sombres tout droit sortis d'un dessin animé japonais et de longs cheveux couleur caramel, qu'elle nouait généralement pour ne pas être gênée. Elle ne m'arrivait même pas au menton, pourtant une aura de noblesse l'entourait. Comme Ellen, la mère de Scarlett O'Hara, je ne l'avais jamais vue toucher le dossier d'une chaise. En fait, je ne l'avais même jamais vue courber le dos. Elle était également incroyablement intelligente et n'oubliait jamais aucun détail. En toute objectivité, elle avait davantage le profil d'une reine que moi.

Tout ça pour dire que d'habitude, elle affrontait tête haute toutes les situations qui nous auraient rendus fous à lier ou, du moins, nous auraient mis en colère. Alors pourquoi hésitait-elle à me parler ? Pourquoi était-elle nerveuse ?

Seigneur, donne-moi la force d'affronter cette épreuve.

— Tu ferais mieux de tout me dire.

Elle déplia le journal en silence et me le tendit, ouvert à la page des avis de naissance et de décès. Je lus l'annonce qu'elle me désignait.

— Ah ! m'exclamai-je, sans la moindre surprise dans la voix. Mon frère est né il y a quelques jours et ils n'ont pas jugé bon de m'en informer. Voyez-vous ça !

Recroquevillée sur sa chaise, Tina écarquilla les yeux à ma remarque.

— C'est... C'est tout ? C'est tout ce que vous avez à dire ?

— Oh ! ça va ! Je te rappelle que j'ai grandi auprès d'eux. Ce n'est pas vraiment un comportement atypique de leur part. Je suppose que je ferais mieux de leur rendre visite pour les féliciter ! Voyons voir... On est censés rencontrer le fleuriste ce soir, mais je ne pense pas que Sinclair m'en voudra de reporter... et je devais avoir un dîner tardif avec Jessica, mais elle ne voudra rater ça pour rien au monde... Adjugé : je vais voir le bébé ce soir.

Le front parfaitement lisse de Tina s'était ridé sous le coup de la surprise.

— Je dois avouer, Majesté, que vous réagissez beaucoup mieux que je le pensais.

— Je m'y attendais. Ça fait quelque temps que je garde un œil sur les avis de naissance. Je n'ai simplement pas eu le temps de le faire aujourd'hui. Le bébé est arrivé en avance, je pensais que le Thon n'accoucherait pas avant janvier.

— Elle a pu se tromper dans les dates, fit remarquer Tina. Elle a peut-être mal calculé ses dernières menstruations...

— J'essaie de calmer ma soif de sang, je te signale ! lui rappelai-je.

— Pardon.

Je jetai un dernier coup d'œil au journal.

— Alors comme ça, mon petit frère s'appelle Jon... Sachant que le premier bébé du Thon s'est révélé être la fille de Satan, je me demande ce que nous réserve celui-ci !

Chapitre 3

— Ton père n'est pas là, lança le Thon en guise de salut.

Même si elle avait l'air épuisée, la mise en forme de son casque blond ananas était parfaite. Des pleurs monotones et incessants s'échappaient de l'interphone pour bébé qu'elle serrait d'une main dépourvue de toute manucure.

— Il ne revient pas avant demain.

— Je suis venue voir le bébé, Anthonia. Tu sais : mon frère, ça te dit quelque chose ? Toutes mes félicitations, au fait.

Elle était plantée dans l'entrée et me faisait attendre sur le perron.

— Tu ne passes vraiment pas au bon moment, Betsy.

— Comme d'habitude. Ce n'est jamais le bon moment pour aucune d'entre nous. Tu as une mine affreuse ! fis-je remarquer d'un air enthousiaste.

Elle m'adressa un regard assassin.

— Je suis occupée. Tu vas devoir revenir un autre jour.

— Écoute, Anthonia, tu es sûre de vouloir jouer à ce petit jeu ? Je peux continuer à appeler et passer, et tu peux t'obstiner à me mettre dehors. Je n'aurai qu'à me plaindre à mon père qui finira par se lasser de se trouver entre deux feux et te forcera à me montrer le bébé. En revanche, si tu me laisses entrer ce soir, on n'en parle plus. Qu'est-ce que tu préfères ?

Elle ouvrit la porte en grand.

— Bon, d'accord, entre.

— Merci infiniment ! Tu es trop gentille. Dis, tu n'aurais pas pris du poids ces derniers temps ? demandai-je en retirant mon manteau, avant de le remettre lorsque je me rappelai que j'avais constamment froid. Enfin, ça te va bien, tu sais.

— Je dois aller voir Jon, dit-elle en jetant un coup d'œil agacé à l'interphone. Le docteur dit qu'il a la colique. Et ton père m'a laissée toute seule avec lui.

— Ça ne m'étonne pas : c'est tout lui.

— On lui a donné le nom de ton père, tu sais ? ajouta-t-elle sur un ton dégoulinant de fierté et de stupidité.

— Mon père s'appelle John. Avec un H. Le bébé, lui, s'appelle Jon, ce qui est le diminutif de Jonathon et ne s'écrit pas du tout pareil. Mais je suppose que tu le sais déjà puisque tu es sa mère !

Mes lèvres bougeaient, pourtant j'ignorais si elle comprenait les mots qui s'en échappaient. Il était peut-être temps de sortir les Crayola pour lui faire un dessin…

Elle me fusilla du regard.

— Ce n'est pas si différent ! Il s'appelle Jon Peter, tout comme ton père.

Pas la peine d'insister.

— Dans quelle pièce est-ce que vous avez installé sa chambre ?

Elle me désigna le fin fond du couloir en haut de l'escalier, à l'exact opposé de la chambre principale. Quelle surprise ! Je gravis les marches, le Thon sur les talons.

— Tu n'as pas intérêt à le mordre ! grommela-t-elle.

Qu'est-ce que vous vouliez que je réponde à ça ? Le Thon pensait, et me le disait en face à la moindre occasion, que j'étais vraiment égoïste de m'être relevée d'entre les morts. Selon elle, mes camarades vampires avaient une mauvaise influence. Malheureusement, je ne pouvais pas la contredire à ce propos.

— Je te préviens. Le mieux, c'est peut-être que tu ne le touches pas du tout.

— Je ne suis pas enrhumée, promis.

J'ouvris la porte en bois derrière laquelle je pouvais entendre les cris du bébé, avant de pénétrer dans la chambre décorée avec Winnie l'ourson, version Walt Disney.

— Beurk ! Tu aurais au moins pu choisir l'original.

— C'est temporaire : on redécore la semaine prochaine, répondit-elle d'un air absent. (Toute son attention était tournée vers le berceau.) J'ai déniché une chambre « La Petite Sirène » sur eBay.

L'horreur ! Pas étonnant qu'il hurlait, ce pauvre bébé. Je baissai les yeux vers lui : rien d'anormal. Il avait le visage rouge, comme tous les nouveau-nés, avec des cheveux noirs et de petits yeux fermés, si bien qu'on ne voyait que deux fentes. Sa bouche ouverte laissait s'échapper la plainte habituelle des nourrissons en colère : « *OuuuuIN, OuuuuIN, OuuuuIN !* »

Il portait une sorte de grenouillère, un peu comme Mimosa, le fils de Popeye. Sauf que la sienne était vert pâle et lui faisait un teint complètement jaune. Il n'était pas très potelé. En fait, ses membres ressemblaient à des brindilles et ses minuscules poings avaient la taille de noix.

Pauvre gosse ! Coincé dans une chambre décorée en Disney, avec le Thon pour mère et emmitouflé dans des vêtements verts. Personne n'aurait pu supporter un truc pareil, même après seulement une semaine sur Terre. Si j'avais eu des larmes, je crois que je me serais mise à pleurer sur son sort.

— Tiens ! dit le Thon en me tendant une petite bouteille de désinfectant.

Je levai les yeux au ciel.

— Je ne suis pas contagieuse, tu sais !

— Non, tu es morte : c'est pire !

Malgré l'envie de lui répondre qui me démangeait, je passai outre à sa réflexion et me contentai de me nettoyer rapidement les mains. Pendant tout ce temps, Jon ne cessa pas une fois de crier. J'étais presque tentée de l'imiter. Je rendis la bouteille de désinfectant au Thon.

Puis, sans demander son autorisation, je le pris dans mes bras et plaçai ma main de façon à soutenir sa tête. Mes heures de baby-sitting m'avaient au moins appris quelque chose. Il s'égosilla une dernière fois – « OuuuuIN ! » – avant de se taire complètement, la bouche ouverte.

— Je ne veux pas que tu… (Le Thon s'interrompit pour observer son fils.) Ce n'est pas vrai ! C'est la première fois qu'il arrête de pleurer depuis des heures !

— Ça veut sûrement dire qu'il m'aime bien.

— Redonne-le-moi !

Je m'exécutai mais, dès que je l'éloignai, il recommença à crier. Le Thon le remit aussitôt dans mes bras, où il se calma.

Je souris à pleines dents : je ne pouvais pas m'en empêcher. Un nouveau pouvoir vampirique ! Les nouveau-nés se soumettaient à ma volonté diabolique. Encore mieux : le Thon avait le teint aussi vert que la grenouillère de Jon.

— Bon, repris-je assez fort pour me faire entendre par-dessus les hurlements lorsque je le rendis à sa mère. Je dois y aller maintenant !

— Attends !

Ha ! Ha !

Chapitre 4

Ouvrant la porte de la cuisine à la volée, je sautai pratiquement au milieu de la pièce.

— Je suis de retour ! m'écriai-je.

— Ouais, moi aussi, marmonna Jessica.

Elle n'avait pas retiré son manteau caramel, un modèle pour homme qui lui arrivait presque aux chevilles. Elle avait son sac à tricot dans une main et ses gants dans l'autre. Personne d'autre n'avait relevé la tête à mon arrivée. Je ferais mieux de revoir mes entrées théâtrales. Trop de gens y étaient habitués.

— Merci de m'avoir posé un lapin, garce démoniaque, lança-t-elle.

— Oh ! Ne me fais pas un caca nerveux ! Je sais que tu adores que j'aille embêter le Thon. À ce propos, il faut aussi que j'annule notre rendez-vous de demain, parce que… (Je marquai une pause dramatique pour faire durer le suspense.) Je garde mon demi-frère !

Jessica écarquilla les yeux, bouche bée.

— Hein ?

Mon annonce réussit à faire réagir Sinclair et Tina.

— Nous non plus, nous n'avons pas bien entendu, ma chérie, intervint Sinclair.

— Vous avez très bien entendu. Vous avez tous très bien compris ce que j'ai dit. (Je sortis mes mains glacées de mes poches pour les réchauffer en leur soufflant dessus : aucun changement.) Je vous le jure ! Je vais faire du baby-sitting. Le bébé m'aime bien. Et même si ce n'est pas le cas du Thon, elle veut à tout prix s'échapper de la maison. Alors, j'y retourne demain.

— Tu retournes chez ta belle-mère...

— Et vous serez seule avec le bébé, poursuivit Tina.

— Le bébé de ta belle-mère, ajouta Sinclair.

— Je sais, je sais ! C'est un miracle de Noël !

— Je veux bien t'accompagner, si tu veux, proposa Jessica. Je te tiendrai compagnie et, comme ça, je pourrai voir Jon, c'est bien ça ?

— Oui, Jon. Ça va être génial ! Un peu bizarre, mais sympa quand même. Et si on faisait du pop-corn pour l'oublier au fond d'un placard ? (Après avoir jeté mes clés sur le bar, je traversai la pièce.) Vous travaillez sur quoi ?

Éric Sinclair se laissa aller en arrière pour que je puisse voir ce qu'il faisait. Il était à la fois le roi des vampires, mon amant, mon fiancé, ma Némésis et mon colocataire. En résumé, l'année qui venait de s'écouler avait été riche en émotions.

Comme d'habitude, j'étais tellement sous le charme de Sinclair que j'en oubliai de regarder le livre qui semblait accaparer leur attention. Il était tellement... Miam ! Appétissant, beau gosse, grand, avec de larges épaules... parfait. D'une perfection qui aurait dû être interdite par la loi. Grandes mains. Grand sourire. Grandes dents. Grand tout... *Mama mia !* Après avoir passé des mois à combattre mon attirance pour lui, je n'avais plus à me retenir. Et je peux vous dire que j'en profitais à fond ! Lui aussi d'ailleurs. C'était agréable de ne plus avoir à le regarder du coin de l'œil. Nous étions sur le point de nous marier. Nous étions amoureux. C'était donc parfaitement normal qu'on ait toujours envie de se sauter dessus.

Je caressai les mèches qui tombaient sur son front, en essayant de ne pas le regarder dans les yeux trop fébrilement, avant de laisser tomber ma main sur le devant de sa chemise et de porter mon attention sur la table. En l'espace d'une demi-seconde, ma bonne humeur s'évapora dans la nature, comme le peu de bon goût du Thon pendant les soldes.

— Qu'est-ce que ce truc fabrique ici ?

— Chérie, tu me serres…

Il se saisit délicatement de mon poignet pour se libérer. Sous la surprise, je m'étais emparée de son col avec un peu trop de force. Toutefois, le connaissant, je savais qu'il était plus inquiet pour l'état de ses vêtements que pour le fait que j'aurais pu l'étrangler.

— Ne vous mettez pas en colère, supplia Tina.

— Aaaaah ! Aaaaaaaah ! criai-je en désignant la chose.

— UPS nous l'a rapporté, poursuivit-elle. (Je la dévisageai d'un air ahuri. Jessica m'imita.) Je vous le jure !

— Un gars d'UPS a rapporté ce machin ? s'étonna Jessica en montrant du doigt, à son tour, le *Livre des Morts.*

— En même temps qu'un colis de votre mère, ajouta Tina d'une voix douce.

— Ça ne me donne pas vraiment envie de savoir ce qu'il y a dedans !

— Je croyais qu'on…

Jessica jeta un coup d'œil à Sinclair. Son visage ne laissait transparaître aucune émotion, mais ses yeux noirs avaient cette lueur qui me faisait dresser les cheveux sur la tête.

— Je croyais qu'il avait disparu pour de bon !

— Putain, putain, putain ! marmonnai-je. (Il était ouvert. Ouvert ! Je le refermai vivement.) Putain ! Ne le regardez pas ! Putain ! Pourquoi est-ce que vous étiez en train de le regarder ?

— Nous jetions simplement un coup d'œil aux sources les plus fiables que nous possédons, répondit Sinclair avec un sourire, même s'il semblait loin d'être joyeux. Nous aurons plus de chance cette fois-ci. Ce qui signifie que tu n'as pas intérêt à recommencer, compris ?

Pour faire court : à l'approche d'Halloween, j'avais lu le *Livre des Morts* et en étais ressortie cinglée. Sans exagérer. À tel point que j'avais mordu et blessé mes amis. Trois mois après, j'avais encore tellement honte de mon comportement que j'évitais d'y repenser. Je m'étais punie en portant des baskets bas de gamme pendant un mois, mais même un tel châtiment ne semblait pas à la hauteur.

Le côté positif de l'histoire, c'était que je sortais désormais de mon sommeil de mort en fin d'après-midi, au lieu d'être kapout de l'aube au crépuscule. Pourtant, même cet arrangement n'avait pas satisfait ma conscience. Alors, j'avais balancé ce satané bouquin dans le Mississippi. Bon débarras !

Sinclair avait été furieux ; Tina n'avait pas exactement sauté de joie non plus : document historique, irremplaçable, plus précieux que des rubis, source prophétique inépuisable, bla bla bla... Sinclair ne m'avait pas jetée hors de son lit, mais pendant que nous faisions l'amour ce soir-là, il n'avait pas arrêté de me faire la morale. Même dans son esprit – il l'ignorait toujours, mais je pouvais entendre ses pensées –, il était en colère contre moi. J'avais redécouvert le sens du mot « atroce ». Pourtant, à l'époque, le prix à payer avait paru raisonnable.

Et maintenant, le *Livre* était de retour...

— Putain ! me plaignis-je de nouveau.

J'étais incapable de dire autre chose.

— Pour ma part, annonça Jessica sans quitter le livre des yeux, j'ai une bonne nouvelle.

— C'est un faux particulièrement réussi ?

— Non ! Je reviens de mon cours de crochet : je vais pouvoir apprendre un nouveau point à George !

— Oh ! fis-je en me détournant enfin du livre. C'est une bonne nouvelle, en effet.

— Comment avez-vous trouvé votre tombe ? s'enquit poliment Tina.

— Toi, ne change pas de sujet.

— Mais c'est tellement tentant !

— Qu'est-ce que vous allez faire avec ce machin ?

— Jessica avait déjà changé de sujet… Je pensais le ranger dans la bibliothèque, comme avant.

— À la place qui lui est due et d'où il n'aurait jamais dû être retiré, ajouta Sinclair d'une voix sirupeuse.

— Hé ! Je te signale que c'est ma maison, ma bibliothèque et donc mon livre.

— C'est cela, oui, rétorqua-t-il.

— Je te rappelle que c'est *notre* maison, intervint Jessica.

Ce qui était adorable de sa part puisqu'elle l'avait payée dans son intégralité. Sinclair lui versait un loyer de misère et moi, je ne donnais rien du tout. Nous avions simplement utilisé l'argent de la vente de mon ancienne maison farcie de termites pour l'avance de celle-ci.

— Ce truc est dangereux, répliquai-je en sachant pertinemment que ça ne servait à rien : j'avais déjà perdu.

— Il s'agit d'un outil. Et comme tous les outils, tout dépend de la façon dont on s'en sert, répondit Sinclair en se levant. Je vais le ranger dans la bibliothèque.

— Non, non, non ! (Je plaçai les mains sur ses épaules et le poussai, en vain. Autant essayer de bouger un mur…)

Assieds-toi. Je m'en charge. Je te jure de ne pas le laisser tomber dans la rivière en chemin!

Il réfléchit un long moment avant d'accepter. Alors, mal à l'aise, je m'emparai du livre – qui mesurait environ cinquante centimètres sur trente et faisait au moins quinze centimètres d'épaisseur – et frissonnai presque aussitôt. La bible vampirique était reliée avec de la peau humaine, écrite avec du sang et contenait des prophéties qui se réalisaient à tous les coups. Sauf que si on avait le malheur de la lire trop longtemps, elle rendait fou. Pas fou comme après une mauvaise journée, ni à cause des hormones. Non, il s'agissait d'une folie qui vous faisait blesser vos amis et violer votre mec.

— Je descends au sous-sol, nous informa Jessica pour briser le silence qui s'était installé. Je vais montrer le nouveau point à George.

— Attends, grognai-je en soulevant le livre plus franchement.

— Quoi? J'aimerais vraiment lui montrer tout de suite pour qu'il puisse s'entraîner.

— Je t'ai dit d'attendre, couillonne! Tu n'es pas censée rester seule avec lui, je te rappelle!

— Il ne m'a jamais fait de mal. Il ne regarde même pas dans ma direction. Du moins, il ne l'a pas fait depuis que tu le nourris avec ton sang de reine... Beurk!

— Cela ne change rien, fit remarquer Sinclair qui, libéré du livre, s'empara du *Wall Street Journal*. Tu ne dois jamais être seule avec lui, Jessica. Jamais.

La grimace qu'elle lui adressa fut arrêtée par le journal qu'il avait relevé devant son visage. Je faillis éclater de rire. C'était sa façon de dire: « Vous pouvez disposer. » J'y avais souvent droit.

— Laisse-moi déposer ce truc dans la bibli, dis-je en titubant. (C'était difficile de porter quelque chose tout en essayant de ne pas vomir.) Je suis à toi tout de suite. Tout pour ne pas penser à ça !

— Vous ne devriez pas dire des choses pareilles, observa Tina en touillant son café. Surtout après avoir rendu visite à votre belle-mère.

— Rabat-joie ! rétorquai-je en me dirigeant vers la bibliothèque.

Chapitre 5

— Bon ! m'exclamai-je joyeusement en descendant les marches. C'était la chose la plus dégoûtante au monde.

— Dit-elle alors qu'elle boit du sang toutes les semaines.

— Beurk, ne m'en parle pas ! George ? Tu es réveillé, mon grand ?

On traversa le sous-sol. Cet endroit était immense : il courait sous toute la maison. On y avait entreposé des corps décapités et organisé des soirées Tupperware. George se trouvait dans sa chambre, occupé à crocheter une bande sans fin. Cette fois, elle était bleue.

Il releva vivement la tête à notre arrivée avant de continuer comme si de rien n'était. Le plus effrayant chez George, c'était que son apparence devenait de plus en plus normale. Grand et élancé, il avait la silhouette d'un nageur. Ses cheveux blonds lui tombaient sur les épaules et ses yeux étaient marron foncé. À l'époque où il était plus sauvage, il avait été difficile de discerner l'homme sous la couche de boue. À présent qu'il se nourrissait uniquement de mon sang, il était difficile de reconnaître le vampire sauvage derrière l'homme qu'il était devenu.

Bien sûr, il était bien trop maigre, mais il avait le plus beau cul que j'aie jamais vu. (Je n'oubliais pas, bien sûr, que mon cœur appartenait à Sinclair… et à son postérieur.) La couleur de ses yeux ressemblait à celle de la boue. Pourtant, de temps en temps, son regard s'illuminait d'une pointe d'intelligence. Ou peut-être que j'avais tellement envie d'y croire que je l'imaginais.

Apparemment, il n'aimait que moi, ce qui n'était que justice puisque j'étais la seule à avoir refusé de tuer les Monstres. Les autres se trouvaient à Minnetonka, surveillés par l'un de mes sujets. Contrairement à George, ils semblaient parfaitement heureux de gambader à quatre pattes et de boire du sang dans des écuelles.

Comme je ne savais pas quoi faire d'eux, je faisais confiance à ma politique habituelle : laisser les choses se faire naturellement et se tasser toutes seules. L'ancien demeuré qui commandait les vampires adorait faire des expériences. Vous savez : comme les nazis. Son jeu préféré était de priver de sang les vampires tout juste transformés.

Voilà ce qui avait engendré les Monstres. Sauvages, inhumains, ils avaient des difficultés à s'exprimer, à marcher, et à… Bref. Ils étaient monstrueux, mais ce n'était pas leur faute. Le vrai monstre était celui qui les avait créés.

À présent, je ne pouvais rien faire d'autre que m'occuper d'eux le mieux possible… et distraire George. Contrairement aux autres, George buvait mon sang tous les deux jours. Contrairement aux autres, George avançait debout.

C'était extrêmement bizarre.

— Regarde bien, mon grand, dit Jessica en sortant son propre crochet pour le lui montrer avant de me jeter un coup d'œil. Euh, il a mangé cette semaine, pas vrai ?

— Malheureusement oui.

J'observai mon poignet qui avait déjà guéri. Je n'aimais partager mon sang qu'avec Sinclair. Les autres situations m'écœuraient. En plus, avec Sinclair, ça n'arrivait que... dans nos moments intimes.

C'était triste à dire, mais mon sang – mon sang de reine ! – était la seule chose qui faisait progresser George. Trois mois auparavant, il était encore nu, couvert de boue, à hurler à la lune et croquer les violeurs qui passaient par là. Crocheter dans mon sous-sol et porter des sous-vêtements constituaient un sacré progrès.

— Comme ça, disait Jessica en lui expliquant un nouveau point qui me paraissait affreusement compliqué.

Bon, d'accord, j'avais arrêté le point de croix à seize ans parce que je trouvais ça bien trop dur. Alors crocheter ou tricoter ? N'y pensez même pas !

Un jour, ma mère avait tenté de m'apprendre à tricoter. Voilà comment je me rappelais la scène : « Je te montre doucement pour que tu puisses suivre », m'avait-elle dit. Puis, les aiguilles avaient étincelé, et en un éclair, elle avait déjà tricoté la moitié d'une écharpe. C'est à peu près à ce moment-là que j'avais abandonné tout loisir créatif.

— Après, poursuivit Jessica, tu repasses dans la boucle... comme ça.

Il lui prit le fil et le crochet des mains en fredonnant.

— Et pour le mariage ? Qu'est-ce qu'il te reste à faire ?

— Euh... (Je fermai les yeux pour réfléchir. Ma moitié se trouvait à l'étage : aucune importance, je connaissais les détails par cœur.) Les fleurs. J'insiste toujours pour des iris violets et des lys jaunes. Mais Sinclair continue d'agir comme si le mariage n'avait pas lieu.

— Quelle est la nouvelle date ?

— Le 15 septembre.

Jessica fronça les sourcils.

— C'est un jeudi.

— Comment tu le sais ? demandai-je, étonnée.

— C'est l'anniversaire de la mort de mes parents. Je m'arrange toujours pour aller au cimetière ce jour-là. L'année dernière, ça tombait un mercredi.

— Oh ! (Nous ne parlions jamais des parents de Jessica. C'était un sujet tabou.) Ça change quelque chose ? Ce n'est pas comme si Sinclair s'y intéressait, de toute façon. Ou les autres vampires, d'ailleurs. C'est parce qu'il faut qu'on se lève pour aller travailler le lendemain, c'est ça ?

— Combien de fois est-ce que tu as changé la date ? Quatre ?

— Peut-être bien, répondis-je à contrecœur.

Au départ, il devait avoir lieu le 14 février (je sais, je sais… mais à ma décharge, j'avais rapidement abandonné l'idée), puis le 10 avril, le 4 juillet et, enfin, le 15 septembre.

— Je ne comprends pas pourquoi tu ne le célèbres pas une bonne fois pour toutes, ma puce. Tu en rêves depuis si longtemps ! Et Sinclair se prête au jeu, en plus. Alors qu'est-ce que tu attends ?

— Je n'ai simplement pas eu le temps de m'occuper de tous les détails, c'est tout. Au cas où tu l'aurais oublié, j'ai résolu des histoires de meurtres et évité des révoltes sanglantes ces derniers temps, me plaignis-je. Voilà pourquoi je n'arrête pas de changer la date. Les jours, enfin, les nuits ne comportent pas assez d'heures !

Jessica ne répondit pas. Dieu merci.

— Regarde ! m'exclamai-je en lui montrant George qui crochetait le nouveau point qu'elle lui avait appris. Waouh ! Il comprend vite…

— Cool, on va bientôt pouvoir s'attaquer au tricot !

— Tu ne peux pas te reposer sur tes lauriers, pour une fois ? Laisse-lui au moins le temps de faire une couverture ou quelque chose.

— Et après, poursuivit-elle, sûre d'elle, on passera à la lecture et au calcul.

— Houla, on n'est pas sortis de l'auberge !

— Il sait déjà, c'est obligé ! Il faut juste le lui rappeler.

— Oui : « juste ».

Elle choisit de passer outre à mon commentaire.

— Quoi d'autre à part les fleurs ? Tu as déjà ta robe.

— Oui. Je suis allée la chercher la semaine dernière. Ce qui est bien quand on est morte, c'est qu'un seul essayage suffit.

— Tu vois qu'il y a des avantages ! Quoi d'autre ?

— Il faut goûter les différents menus.

— Comment est-ce que tu comptes faire ça ?

— Du vin pour eux, du jus et autre pour nous.

En m'entendant parler, je ne pus m'empêcher de me demander ce que je voulais dire par « nous ».

— Il y a plus pénible. Et après ?

— Le gâteau. Pas pour nous, bien sûr. (Encore ce mot.) Il y aura des gens normaux : toi, Marc et ma famille.

— Le Thon ?

— Oui, je l'invite.

— Vraiment ? De toute façon, elle aura probablement rendez-vous pour un ravalement de façade ce jour-là.

Cette pensée me remonta le moral.

— Tu crois ? Peut-être bien. Dans tous les cas, je penche pour une génoise au chocolat fourrée avec de la ganache à la framboise et recouverte de fraises enrobées de chocolat. Et puis, tu sais, un glaçage ivoire par-dessus.

— Arrête, tu me donnes faim !

— Sinon, j'essaie de persuader Sinclair d'aller s'acheter un costume.

— Pour quoi faire ? Il en a des millions.

— Peut-être, mais celui-ci sera spécial. Le plus important de tous. Le costume de notre mariage ! Il faut qu'il en choisisse un pour l'occasion.

— Pourquoi pas un bleu layette ? suggéra-t-elle.

— Ou un jaune canari ? renchéris-je en riant. Imagine sa tête ! Il en mourrait !

— Encore une fois. En fait, il n'a pas l'air très enthousiaste. Il ne semble pas intéressé par ces détails. Encore moins que les hommes normaux, je veux dire. Ce qui est bizarre quand on connaît son côté métrosexuel.

Je n'avais jamais entendu ce terme appliqué à Sinclair – à la mode l'année dernière, il était à présent utilisé à outrance –, pourtant je me rendis vite compte qu'il lui allait comme un gant. Il en avait une grosse, adorait les femmes, ne rechignait jamais à se battre… mais en contrepartie, il avait insisté pour redécorer tous les salons et était un vrai snob en matière de thé et de nourriture. Ah ! L'amour de ma vie ! Un dieu au lit… qui ne buvait que du thé en feuilles, jamais en sachet. Qui l'eût cru ?

Je m'assis sur une chaise pour observer George qui crochetait. En parlant de métrosexuel… son ouvrage mesurait déjà vingt centimètres.

— Sinclair est têtu comme une mule. Tu connais la chanson : « Selon les lois des vampires, nous sommes déjà mariés… Cette cérémonie est inutile, blablabla. »

— Ce n'est pas cool, fit-elle d'un ton compatissant.

Fouillant dans son sac, elle jeta d'autres pelotes à George. Un arc-en-ciel de laine vola dans sa direction : rouge, bleu, jaune, violet.

— Mais tu sais que ça n'a rien à voir avec son amour pour toi, pas vrai ? Tu en es consciente ?

— Je crois que oui...

— Betsy ! Vous avez mis les choses au point à Halloween : il t'adore ! Il ferait n'importe quoi pour toi. Il l'a déjà fait, d'ailleurs. Ce n'est pas sa faute s'il vous considère comme mariés depuis huit mois.

— Mouais. Tu sais que notre mariage sera le premier des monarques vampiriques de toute l'histoire des morts-vivants ?

— C'est bon à savoir. Un seul vrai mariage dans toute l'histoire ?

— Oui. Des vampires se sont déjà mariés. Certains avec des vivants, comme Andrea et Daniel. Dans notre cas, comme le *Livre des Morts* prouve déjà notre union, un vrai mariage n'a jamais été utile.

— Et alors ?

— Exactement ! m'écriai-je. Pourquoi est-ce que je devrais m'en soucier ? Je n'ai aucune raison de reculer. En revanche, il est hors de question que je porte son nom.

Jessica éclata de rire.

— Je viens juste de percuter : si tu prends son nom, tu seras une Saint Clair, toi aussi.

— Ne m'en parle pas !

— Ne le lui dis pas. Il est plutôt traditionnel, comme type.

Et c'est bien ce qui m'inquiète, ces derniers temps...

Chapitre 6

Un fantôme vint m'embêter alors que j'étais en train d'écrire dans mon journal intime. Je ne sais même pas pourquoi je m'obstinais à en tenir un. Chaque fois, j'y écrivais avec passion pendant une semaine avant de me lasser. Mon placard contenait au moins quatre-vingt-dix journaux dont seules les quinze premières pages étaient griffonnées.

Marc était parti après m'avoir suppliée pour la énième fois de choisir un *carrot cake* au lieu de la génoise au chocolat. Hérésie ! Nous avions échangé des noms d'oiseaux avant qu'il batte en retraite, vexé. Jessica dormait. Normal, il était 2 heures du matin. Tina était sortie, sûrement pour se nourrir. Moins j'en savais, mieux je me portais. Et Sinclair se trouvait quelque part dans la maison.

Le fantôme se tenait dos à moi, devant mon placard. Elle était penchée en avant comme un majordome qui fait une courbette et sa tête semblait coincée de l'autre côté de la porte. Je ne me souvenais même plus pourquoi je m'étais retournée. Elle avait fait autant de bruit qu'une pile à plat. Toutefois, quelque chose m'avait poussée à le faire et elle était là.

Je restai assise un moment pour retrouver une respiration normale et repousser le malaise qui m'envahissait. Ce genre de choses arrive de temps en temps.

Ça fait partie des attributions du rôle de reine. La première fois qu'un fantôme était apparu devant moi, j'avais été terrifiée. Ironie du sort, j'avais peur des morts…

Je ne m'y étais pas vraiment habituée depuis mais, au moins, je ne détalais plus en courant vers la sortie la plus proche.

— Ahem !

Elle sortit la tête du placard et m'observa d'un air ahuri.

— Vous avez des tonnes de chaussures !

— Merci.

— C'est une vraie foire à la godasse !

Je réprimai un frisson.

— Merci.

On se dévisagea. Elle devait mesurer un mètre cinquante-cinq les bras levés, avait des cheveux blond vénitien relevés en une queue-de-cheval style années 1960, des yeux bleus, et des taches de rousseur sur le visage et les mains. Elle portait un jean bleu délavé avec un pull à col roulé couleur caca d'oie. Mocassins abîmés, pas de chaussettes. D'autres taches de rousseur sur les pieds.

— Désolée de vous déranger mais, euh… je crois qu'il se pourrait que je sois morte.

— Je suis vraiment désolée d'avoir à vous le confirmer, répondis-je, mais oui : vous êtes morte.

Alors, elle s'assit par terre et pleura pendant une dizaine de minutes. Je ne savais pas quoi faire ou dire. Même si ça avait été mon premier réflexe, je ne pouvais pas quitter la pièce pour lui laisser un peu d'intimité. J'avais peur qu'elle se méprenne sur mes intentions.

J'étais incapable de la toucher : mes mains traversaient les fantômes et la sensation était horrible ! Comme si je plongeais mes membres dans un bain de glace. Dans ces conditions, une tape amicale ou un câlin n'était pas à l'ordre du jour. Un pauvre « Allons, allons ! », n'en parlons même pas. Hors de question également que je retourne à l'écriture de mon journal... Alors, je restai assise à mon bureau et me contentai d'attendre qu'elle cesse de pleurer.

Au bout d'un moment, elle reprit la parole.

— Pardon.

— Ne vous excusez pas, c'est tout à fait naturel.

— Je le savais... je le sais. J'espérais simplement que je me trompais. Mais personne ne peut me voir. Vous êtes la seule. Les médecins des urgences, le type à la morgue, mon petit ami... aucun d'eux ne m'a vue !

— Comment avez-vous eu l'idée de venir ici ?

— Je... je ne sais pas.

— Ah !

Et merde ! Si les fantômes se donnaient le mot pour débarquer ici, aucun ne semblait vouloir me mettre dans la confidence. Y avait-il un écriteau devant la maison : « Elle voit des gens qui sont morts » ? Un panneau que seuls les fantômes pouvaient voir ? Le savoir ne m'avancerait pas beaucoup, mais j'étais curieuse.

Elle soupira.

— J'espérais que vous pourriez m'accorder une faveur.

— Aucun problème, répondis-je aussitôt.

L'expérience m'avait appris que c'était plus facile – et plus rapide – de leur donner ce qu'ils voulaient. Sinon, ils me hantaient et me parlaient au moment le moins opportun. Vous avez déjà été interrompue par un fantôme pendant que vous vous laviez les cheveux ? Ou que vous faisiez une gâterie à votre fiancé ? C'est très gênant, je vous assure.

— Que puis-je faire pour vous ?

— La dernière chose dont je me souviens, quand tout le monde me voyait encore, c'est d'être sortie en courant de notre immeuble. Je partage un appartement avec mon petit ami. On venait de se disputer violemment parce qu'il pensait que je le trompais. Mais je vous jure que ce n'est pas vrai !

— Je vous crois.

— Est-ce que vous pourriez aller le voir ? Et le lui dire ? J'ai seulement dîné deux fois avec ce type. Je n'avais pas l'intention de faire quoi que ce soit. C'est Denny que j'aime ! Je m'en veux tellement de ne pas m'en être rendu compte avant de me précipiter vers… Bref. Je déteste, je hais l'idée que jusqu'à la fin de sa vie Denny pense que ma dernière action ait été de le tromper. J'en perds le sommeil. (Elle s'interrompit.) Bon, je ne dors plus de toute façon… Je ne crois pas, en tout cas. Mais ça me perturbe. Vraiment.

— Je serais ravie d'aller lui parler. Je m'en chargerai en priorité demain soir.

— Je vis à Eagan, dit-elle avant de me donner des indications précises pour m'y rendre.

Je les notai dans mon journal.

— Aucun problème. C'est comme si c'était fait.

— Je vous remercie de tout mon…

Elle s'arrêta à mi-mot, l'air extrêmement surpris, puis disparut. Je m'y attendais. Quand ils obtenaient la réponse à ce qui les tracassait, ils continuaient leur chemin vers… Dieu sait où.

La pauvre fille ! J'en avais vu des vertes et des pas mûres. Au moins, dans son cas, il ne s'agissait pas d'un vol, du meurtre de sa mère, d'un quelconque crime ou d'un acte horrible dans ce genre-là.

Quand je voulus reprendre l'écriture de mon journal, je me rendis compte qu'elle ne m'avait pas donné son nom et que je n'avais pas pris la peine de le lui demander. Voilà qui me troublait : est-ce que je commençais à être blasée ? Visiblement. La question était : jusqu'à quel point ?

Et merde !

Chapitre 7

Le lendemain soir, après avoir mené ma mission à bien, je me garai devant la maison. Le petit ami, Denny, avait accepté la nouvelle en pleurant. C'était probablement le plus étrange dans cette histoire de fantômes : il ne s'agissait pas seulement d'apaiser les sentiments des morts, mais aussi ceux de leurs proches. En général, ils me croyaient sans poser de questions. Rien à voir avec le scepticisme à la Whoopi Goldberg dans *Ghost*. Non, c'était toujours : « Oh ! merci, merci de me l'avoir dit, je vais pouvoir continuer à vivre maintenant ! Vous êtes sûre que vous ne voulez pas un café ? » Très étrange. Mais c'était toujours mieux que l'inverse, je suppose.

Il y avait un gros pick-up rouge étincelant dans l'allée, garé n'importe comment, à moitié sur la pelouse. Je ne connaissais pas l'identité de son propriétaire. Aucun de mes proches ne conduisait une telle voiture. J'hésitai à entrer dans la maison.

Ça commençait toujours comme ça, innocemment : un visiteur, un commentaire, et bam ! Une nouvelle loi que j'ignorais me tombait dessus. Puis, je me retrouvais dans la politique vampirique jusqu'au cou, ou au beau milieu d'une rébellion ou, pire, avec des morts dans tous les coins.

À présent, je me méfiais de tous les nouveaux venus, aussi insignifiants fussent-ils au premier abord. Et puis celui-là, c'était un gros pick-up, pas insignifiant du tout. Un break, en plus ; il aurait pu facilement transporter cinq emmerdeurs jusque chez moi.

Je jetai un coup d'œil à ma montre. Il n'était que 18 h 30, mais au moins Sinclair et Tina étaient déjà debout. S'il s'agissait d'un indésirable, je pouvais compter sur leur aide. Je pourrais peut-être même leur refourguer la patate chaude.

Merde : et si ça n'avait rien à voir avec moi ?

Non, impossible.

Lorsque j'ouvris la porte, j'entendis une voix d'adolescent crier :

— Je ne partirai que si Betsy me le demande, alors lâche-moi, Sinclair !

Je connaissais cette voix aiguë qui essayait en vain de se la jouer grave. Il s'agissait de Jon Delk, anciennement chef des Lames de la Justice, présentement emmerdeur de première. Après la dissolution du groupe l'été dernier, il avait repris le chemin de la ferme familiale. Depuis, je n'avais plus entendu parler de lui. Qu'est-ce qui avait bien pu provoquer son retour ? Sûrement rien de bon, si vous voulez mon avis.

— Tina, dit Sinclair sur un ton détaché que je connaissais tellement bien que je me mis à courir. Raccompagne notre petit camarade.

— Vas-y, vampire ! Ose seulement poser un seul de tes doigts morts sur moi, tu vas voir ! s'écria Jon.

— OK ! répondit Tina d'un air enjoué.

Je déboulai en trombe dans la cuisine.

— Ça suffit ! Je ne sais pas ce qui se passe, mais vous n'avez pas intérêt à vous entre-tuer, bande de nazes !

— Betsy!

Le visage de Jon – jeune et tellement beau que c'en était ridicule – s'illumina lorsqu'il me vit. Son sourire se fit si large que des fossettes se creusèrent sur ses joues.

— Salut! C'est super de te voir! Tu as l'air super en forme! C'est...

— Super? rétorqua Sinclair, adossé contre le bar, les bras croisés.

Ses jambes tendues semblaient faire deux mètres de long. Son côté obscur contrastait violemment avec l'apparence de Jon. Tout était sombre chez Éric: ses vêtements, son allure, la façon dont il bougeait. Il donnait l'impression de pouvoir vous attaquer à chaque instant.

De son côté, Jon ne tenait pas en place et passait continuellement la main dans ses cheveux blonds, ce qui n'arrangeait rien à sa coiffure. En fait, il n'arrêtait jamais de bouger alors qu'Éric aurait pu gagner tous les concours d'imitation de statue du monde.

Jon nous détaillait de ses yeux bleus, l'air inquiet, mais l'odeur d'huile et de cuir qui flottait autour de lui trahissait la présence d'un revolver. Sûrement dans un holster de poitrine. Les hommes semblaient adorer cette cachette, alors que ma mère m'avait appris que ce n'était vraiment pas la plus pratique. On n'attrapait jamais son arme à temps.

Il avait au moins un couteau sur lui. Il reflétait parfaitement l'image de l'adolescent de dix-neuf ans qui a grandi à la ferme. Cependant, il s'était allié à d'autres solitaires comme lui, et ensemble, ils avaient tué davantage de vampires qu'une personne normale en croiserait dans toute sa vie.

Heureusement, comme il m'aimait bien, il avait décidé d'arrêter le massacre. Je ne comprenais toujours pas pourquoi : la plupart des vampires sont des connards. Mais je n'étais pas en position de me plaindre. Quand je lui tendis la main, Jon la serra, la paume moite.

— Je suis contente de te voir, moi aussi. Quelque chose ne va pas ?

— Je suppose que ça dépend à qui tu poses la question, répondit-il en se retournant vers Sinclair.

— Rassure-moi : il n'y a pas eu de nouvelles victimes ?

Il secoua la tête.

— Non, non, rien de ce genre. Betsy, est-ce que je peux te parler en privé ? Dans ta chambre, par exemple ?

— *Notre* chambre, intervint Sinclair en souriant lorsque Jon rougit.

— Quoi ? Tu as enfin déplacé toutes tes affaires ? Ça ne t'aura pris que deux mois, après tout.

Satisfaite de mon petit effet, je me rendis compte que son sourire avait disparu. J'aurais peut-être dû me retenir, mais je ne supportais pas qu'il s'en prenne à un gamin. J'avais l'impression d'être retournée au collège.

— La reine a de nombreux devoirs à accomplir, déclara Tina d'un air suffisant en croisant les jambes. Je ne pense pas qu'elle ait le temps de...

— Ne t'en mêle pas, Tina. Et Éric, ça suffit comme ça. Je vous rappelle que Jon est un invité.

— Un invité dont on se serait bien passés, marmonna Sinclair.

— Tu veux qu'on règle ça une bonne fois pour toutes, mon pote ? Allez, viens ! On va régler ça ! C'est quand tu veux !

— Oh ! Si tu le proposes si gentiment..., répondit Sinclair en se redressant d'un geste si rapide que j'eus du mal à le suivre.

— Non ! Arrêtez votre cirque, les mecs. (Je me retournai vers Jon dont une main avait déjà disparu sous sa veste.) Tu n'as pas intérêt à dégainer un revolver dans ma cuisine. Je suis la seule à en avoir le droit. Allons dans ma chambre.

Les hommes ! Pire que des rats qui se disputent un hamburger ! Je vous jure…

— Tu pourras me parler… de ce que tu voulais. On s'est tous demandé où tu étais parti.

Il était assez jeune pour trouver parfaitement normal de leur tirer la langue… ce qui ne l'empêcha pas d'avoir l'air super con. Tina leva les yeux au ciel tandis que Sinclair l'observait comme un serpent qui convoite un œuf. Je me mordis la langue. Après tout, Jon avait déjà essuyé suffisamment d'insultes pour aujourd'hui.

Chapitre 8

Je le laissai me précéder dans l'escalier. C'était complètement immature de ma part, mais je ne pouvais pas m'en empêcher : il avait un trop joli cul ! Avec son jean bleu délavé préféré, sa ceinture large, ses écrase-merdes, et son tee-shirt, il ressemblait à une pub vivante pour des Weetabix.

Nous étions à peine arrivés au premier palier qu'il se retourna vivement pour m'attraper par les épaules.

— Betsy, tu ne peux pas faire ça ! s'écria-t-il.

Surprise, je lui pris les poignets.

— Quoi ?

— Tu ne peux pas l'épouser !

— Tu as fait tout ce chemin pour me dire ça ?

Qu'il m'aime bien, d'accord, mais il y a des limites à la connerie !

— Tu ne peux pas faire ça, Betsy ! répéta-t-il pendant que j'essayais de le déloger gentiment. (Il me collait à la peau comme du film plastique.) Je te connais : ça ne marchera jamais. Tu as un bon fond. Pas lui. Pas du tout ! Tu ne peux pas l'épouser.

— Jon… (*Putain ! Je vais devoir lui briser les doigts, ou quoi ?*) Laisse-moi mon espace personnel, Jon !

Il me lâcha enfin. Ouf !

— Pardon.

— Jon, écoute-moi. Je sais que Sinclair a eu son compte de…

— De festins sanglants, dégoûtants et meurtriers ?

— Euh… d'activités plus ou moins licites, mais il n'est pas si mauvais qu'il en a l'air. Nostro l'était. Monique aussi. Sinclair, lui, essaie simplement de vivre sa vie. Enfin, sa mort.

— Betsy, c'est une des choses les plus stupides que j'aie jamais entendues. Sinclair est mauvais ! Si nous étions dans un western, ce serait le cow-boy au chapeau noir !

— Jon, tu n'as aucune idée de ce qu'est le véritable mal, répondis-je sur le ton le plus neutre possible. Si tu en étais conscient, tu te rendrais compte que Sinclair n'est pas si terrible que ça. Le monde des vampires, comme le nôtre, n'est pas tout en noir et blanc… il y a des tonnes de nuances de gris ! Parfois, il faut passer par des moyens détournés pour arriver à un bon résultat. Il a tout donné pour moi : il s'est fait tuer et il m'a sauvé la vie. Je crois qu'il m'a sauvé la vie. Du moins, si on peut appeler ça… Peu importe, on s'éloigne du sujet.

— Betsy ! dit-il en se fourrant les mains dans les poches et en détournant le regard. Parfois, les hommes font simplement ce genre de choses parce que la fille est jolie. Je ne veux pas dire qu'il ne… t'apprécie pas…

— Tu penses que je suis trop bien pour lui.

— Eh bien…

— C'est très gentil de ta part.

Je le pensais vraiment. C'était même le compliment du mois. Un petit plaisir dont je me souviendrais quand je serais une vieille dame.

— Mais je sais très bien ce que je fais. Je suis amoureuse de lui. Tu n'as sûrement pas envie de l'entendre, pourtant, c'est la vérité. Pourquoi ne pourrais-je pas épouser l'homme que j'aime ?

Frissonnant, il refusait toujours de croiser mon regard.

— Et si c'était un piège ?

— Tu crois que je suis sous la coupe de son pouvoir ? Que je pense être amoureuse alors qu'en réalité, je n'aime que ses canines et sa queue ?

Voilà qui réussit à provoquer une réaction : il me lança un regard noir et le rouge lui monta aux joues.

— Ne dis pas ça ! Ce n'était pas ce que je voulais…

— Crois-moi : j'ai tenté de résister au côté obscur le plus longtemps possible. Puis, j'ai compris qu'il ne l'était pas vraiment. Méchant, je veux dire. Enfin, pas tant que ça.

Pourquoi avais-je l'impression de lui chercher des excuses ? Je n'en avais pas l'intention. J'avais simplement du mal à… mettre des mots sur ce que je ressentais, sur ce qu'il représentait à mes yeux. Et puis merde : cela faisait seulement trois mois que j'avais admis que je l'aimais !

— Tu as juste besoin d'un peu de temps pour apprendre à le connaître.

— Betsy, je ne dis pas que vous n'allez pas bien ensemble… même si c'est le cas.

Hein ?

— Donc, on ne va pas bien ensemble, c'est ça ?

Malheureusement, il continua sur sa lancée, tête baissée.

— Je ne crois pas qu'il soit assez bien pour qui que ce soit.

— Oh ! Donc s'il comptait épouser, disons… Tina, tu serais aussi venu la mettre en garde ?

Silence têtu.

— Jon ? Tu as vraiment fait tout ce chemin pour essayer de me faire annuler mon mariage ? Tu avais des mois pour le faire, tu sais ?

— Ani est passée me voir et on… Disons qu'elle m'a mis au courant des derniers rebondissements. Et…

Il s'interrompit. Je savais très bien où il voulait en venir. « Et dès qu'elle m'a annoncé que tu allais te marier, j'ai sauté dans le pick-up de mon père pour venir ici. » Oh ! merde ! Pauvre Jon. Les coups de cœur comme le sien étaient terribles. J'aurais préféré mourir que de revivre ça. On a vraiment l'impression que le monde s'écroule lorsqu'on apprend que l'être aimé ne nous a jamais regardée de cette façon et ne le fera probablement jamais.

— Je vais me marier, Jon. Le… (Pendant un terrible instant, la nouvelle date m'échappa.) 15 septembre. J'aimerais beaucoup que tu viennes. Toutes les Ailes sont les bienvenues.

Il sourit. Du moins, ses lèvres frissonnèrent. Nous faisions tous les deux semblant de ne pas avoir remarqué ses yeux remplis de larmes et ses reniflements, comme s'il était enrhumé ou accro à la cocaïne.

— C'est quoi, ce surnom stupide ?

— Tu veux vraiment t'engager sur ce terrain ? Et si on parlait des « Lames de la Justice » ? Rien que de le prononcer, j'ai l'impression d'être ridicule. Tu devrais t'estimer heureux que je n'utilise que la première lettre !

Les Lames de la Justice ! Comme si ma vie n'était pas suffisamment risible comme ça. L'été dernier, un groupe de gamins – sérieusement : aucun d'eux n'avait l'âge légal pour boire – s'était organisé pour chasser les vampires. Le plus terrifiant dans l'histoire ? Ils étaient étonnamment doués. Encore plus flippant : j'avais réussi à les convaincre d'arrêter. Depuis, les Ailes – j'essayais d'utiliser leur vrai nom le moins possible – s'étaient séparées et étaient parties chacune de leur côté. À présent l'une d'entre elles était de retour et pratiquement à genoux devant moi.

— Je ne sais pas si je pourrai venir, répondit-il pour changer de sujet. Enfin, presque.

— Comme tu veux. Je serais simplement contente d'avoir des gens qui ont un pouls autour de moi.

— Il y aura beaucoup de vampires ?

— Oui et non. Mon mariage n'est pas une occasion de te documenter, tu m'entends ? Si tu viens, c'est pour lancer du riz et boire un coup. Ah non ! C'est vrai, tu es trop jeune. Tu n'auras qu'à prendre un Shirley Temple, essayer de t'amuser, quoi !

— Si je comprends bien, ça sera un vrai mariage ?

— Bien sûr !

Il sembla ruminer la question un instant.

— Je n'ai jamais entendu parler d'une chose pareille.

— Oh ! ne commence pas ! Sinclair me donne assez de soucis comme ça.

Cette remarque lui fit relever la tête.

— C'est vrai ? Il n'apprécie pas ce genre de cérémonies ?

— Tu sais comment il est… Il pense que parce qu'on est déjà consorts, on n'a pas besoin de fleurs, de demoiselles d'honneur, de discours du témoin et de tout ça…

— Ah oui ? (Les fossettes étaient réapparues. Il suffisait d'un rien pour le déprimer ou lui remonter le moral !) Tu, euh, tu as besoin d'aide ?

— Pour les préparatifs ou en général ? Dans les deux cas, je n'en ai pas la moindre idée. Septembre, c'est encore loin.

— Eh bien… (Il observa les alentours avant de jeter un coup d'œil au rez-de-chaussée.) Ce n'est pas comme si je devais rentrer tout de suite.

— Tu as un endroit où dormir ?

— Pas vraiment. J'allais passer à l'église pour demander au père Markus s'il pouvait m'héberger quelques jours.

— Est-ce que tu essaies de me faire comprendre quelque chose ? Ce n'est pas très fin, tu sais. Pourquoi est-ce que tu ne me pousses pas par-dessus la rambarde, pendant que tu y es ? Ce serait plus subtil !

Il éclata de rire.

— Tu as raison : j'aurais pu mieux faire. Je peux rester ici ?

— Bien sûr, on a plus de chambres qu'au *Hilton* !

Dans mon esprit, je voyais déjà la réaction de Sinclair. Pas de sexe pour moi ce soir… au minimum.

Aucune importance. Le gamin avait passé une assez mauvaise journée comme ça. Je n'allais pas en plus le mettre à la rue.

— Super ! Ça me fera vraiment plaisir de passer quelques jours ici. (Il regarda l'escalier ancien.) La maison a l'air intéressante. On la croirait sortie tout droit d'un vieux bouquin.

— Intéressante, c'est le mot. J'espère que tu aimes la poussière. En revanche, écoute-moi bien : il y a un vampire sauvage au sous-sol. N'y descends sous aucun prétexte, tu m'entends ? Oh ! Et si tu finis le lait, tu dois en racheter.

— Quoi ?

— Je sais, je sais… On prend tous notre thé avec du lait. Alors quand il n'y en a plus, c'est vraiment…

— Tu as parlé d'un vampire sauvage ?

— Oui, mais il n'est pas si terrible que ça. Évite le sous-sol, c'est tout. Et tu n'as pas intérêt à reprendre tes vieilles habitudes.

— Autre chose ?

— Oui : ça me fait plaisir de te voir !

— Moi aussi.

Il me sourit en y mettant tout son cœur.

Satanées fossettes !

Chapitre 9

Je parcourus le couloir sur la pointe des pieds jusqu'au dressing de Sinclair. J'aurais pu appeler ça sa chambre, mais il n'y dormait plus : il dormait avec moi. Pourtant, tous ses habits et ses affaires étaient restés là. Ça devait vouloir dire quelque chose, mais je n'avais pas l'intention de m'en inquiéter tout de suite.

— Éric ? murmurai-je, sachant très bien qu'il pouvait m'entendre.

Je voulais garder notre conversation le plus privée possible.

— Oui ? murmura-t-il à son tour.

— Je peux entrer ?

— Pour quoi faire ?

Je me retournai vivement : il se tenait derrière moi, dans le couloir, tout sourires. Il portait une tonne de vêtements qui revenaient du pressing, les tenant par les cintres. Des cintres en bois ! Son blanchisseur devait lui coûter une fortune.

— Tu sais que je déteste vraiment quand tu me prends par surprise ! Tu le sais, pas vrai ?

— Tu l'as peut-être mentionné une ou deux fois. (Se penchant près de moi, il ouvrit la porte, puis, galant, fit un pas de côté pour me laisser passer en premier.) Tu as encore fait des bêtises pendant les quatre heures durant lesquelles nous avons été séparés ? Je ne vois pas ce qui pourrait t'amener ici, autrement. Tu as enfin cédé à la tentation de tuer Anthonia ?

— Si seulement !

— Ou alors, tu as kidnappé le bébé Jon pour son propre bien et tu es venue m'annoncer que je suis papa ?

— J'aurais préféré, crois-moi ! (Je pris une grande inspiration. Mieux valait cracher le morceau une bonne fois pour toutes.) J'ai invité le Jon des Ailes à s'installer ici.

Il sortait chaque costume de son cocon en plastique avant de l'examiner attentivement et de le ranger sur une espèce d'étrange arbre à fringues. Au beau milieu du rituel, il éclata de rire.

— Quelle coïncidence ! J'ai justement invité le pape à déjeuner.

— Je ne plaisante pas.

Il se tourna vers moi en fronçant les sourcils. Sa réaction n'était pas excessive, mais quand son sourire disparaissait, le soleil et la joie semblaient s'évaporer de la pièce.

— Elizabeth…

— Je sais, je sais !

— Elizabeth, dis-moi que tu n'as pas fait ça.

— Euh… si.

Ses sourcils étaient tellement froncés qu'ils ne faisaient plus qu'un et le résultat était franchement flippant.

— Très bien. Donc je suis certain que tu pourras te rétracter avec autant d'aisance que celle dont a fait preuve ta gracieuse bouche lorsque l'invitation s'en est malencontreusement échappée.

— Ce n'est que pour quelque temps. Jusqu'à ce qu'il retombe sur ses pieds.

— Oh ! Seulement une vingtaine d'années, alors ! rétorqua-t-il.

Quand il essaya d'avancer vers moi, l'air furieux, il se prit les pieds dans les sacs plastique qui avaient protégé ses costumes. Je me mordis l'intérieur des joues pour ne pas rire. *Ne ris pas ne ris pas ne ris pas!*

Il plissa les paupières et écrasa au passage un des emballages, qui se dégonfla bruyamment.

— Tu ne serais pas en train de sourire, jeune fille?

— Pas du tout, Éric! (*« Jeune fille » ? C'est nouveau, ça!*) Écoute, je ne pouvais pas le laisser à la rue.

— Et pourquoi pas, au juste?

— Éric! Je t'en prie! Je trouverai un moyen de me faire pardonner...

— Tu as intérêt, marmonna-t-il en m'attrapant par les coudes.

— Tu comptes seulement me baiser, pas vrai? Je ne vais pas devoir brosser tous tes costumes? Ou un autre châtiment horrible dans le genre?

— Silence!

Il m'attira à lui pour m'embrasser fougueusement avant de me jeter sur le lit et d'atterrir sur moi avec la grâce d'un félin. En un clin d'œil, sa main se baladait déjà sous ma jupe pour me retirer mes collants tandis que l'autre se débarrassait de son pantalon. Et pendant tout ce temps, il faisait jouer sa langue dans ma bouche. Je tentai de l'aider, de bouger un tant soit peu, mais il contrôlait absolument tout. Alors, je me contentai de rester allongée et de faire mon devoir conjugal, comme on dit. Sauf qu'en fait, je pensais à sa grosse queue et à ce qu'il allait pouvoir me faire avec.

Lorsqu'il s'enfonça en moi, je n'y étais pas préparée, mais ça m'était complètement égal. On gémit à l'unisson en essayant difficilement de créer plus de frictions. Il avait cessé de m'embrasser pour enfouir son visage dans mon cou. J'avais passé mes jambes autour de sa taille. Sa chemise était toujours boutonnée et nous n'avions pas enlevé nos chaussettes.

Quand il réussit à me pénétrer complètement, je lui répondis et on trouva une sorte de rythme. Voilà qui était mieux, bien mieux… fantastique ! J'adorais la sensation de ses mains sur mon corps, puissantes et désespérées à la fois. Sans parler de sa voix dans mon esprit !

Ne laisse jamais personne d'autre jamais jamais tu es à moi à moi à moi à moi À MOI À MOI !

Oui, plus désespéré qu'autre chose. Puis, je le sentis se crisper au-dessus de moi et, même si j'étais à des années-lumière de mon propre orgasme, ça m'était égal. Je savais parfaitement qu'il passerait l'heure suivante à se racheter.

Il se laissa tomber sur moi en grognant. Je ris doucement. Mon chemisier n'avait pas bougé, lui non plus. Avec tous les vêtements et les sacs éparpillés aux quatre coins de la pièce, on se serait crus aux *Galeries Lafayette* le premier jour des soldes.

— Ne te moque pas de moi, horrible femme ! lança-t-il d'un trait.

— Désolée, Éric. Tu m'as donné une bonne leçon. Je me repens de mes actions… Au fait, l'équipe de foot du Minnesota emménage demain.

Il grogna de nouveau.

— Tu essaies de me tuer ou quoi ? Tu devrais avoir honte.

— Ah oui ? (J'enserrai sa taille avec mes jambes et le chatouillai derrière l'oreille, un endroit où il était particulièrement sensible.) Prêt à remettre ça ?

— Tu vas vraiment finir par me tuer, marmonna-t-il en déboutonnant lentement sa chemise. (Toutefois, il ne put me cacher cette lueur qui avait soudain illuminé son regard, ni le réveil de son… euh… intérêt.) L'État du Minnesota ne voit pas d'un très bon œil le meurtre avec préméditation, tu sais ?

— L'État du Minnesota ne verrait pas d'un bon œil tout ce qui se passe dans cette maison, je te signale. (Je tirai sur mes chaussettes à fraises avant de les jeter à travers la pièce.) En selle, cow-boy !

— Il n'est probablement pas très friand des suicides non plus, rétorqua-t-il.

Puis il m'embrassa et toute pensée cohérente s'envola de mon esprit.

— Rappelle-moi ce que tu es censée faire ? murmura Jessica.

— Je te l'ai déjà répété trois fois. Ce n'est pas possible, tu le fais exprès ou quoi ?

— Il se passe trop de choses dans ta vie : j'ai du mal à faire le tri.

— Quoi ? Je suis comme le journal de 20 heures ?

— Exactement ! s'exclama-t-elle sans paraître offensée par ma remarque. Parfois, c'est difficile de différencier ce qui est important de ce qui ne l'est pas.

— Génial ! Nous y sommes… 110, 111, 112.

Je m'arrêtai devant la porte close qu'on avait essayé de rendre plus accueillante avec des cartes et des froufrous, comme dans toutes les maisons de retraite. Malheureusement, c'était tout sauf réussi. Peu importait comment on les décorait, elles avaient toujours l'air de portes d'hôpital qui empestaient le détergeant.

Après avoir frappé doucement sans obtenir de réponse, je poussai la porte. Les gonds de caoutchouc s'activèrent dans un bruit sourd pour révéler une vieille dame assise sur un lit au fond de la pièce.

Elle sourit en nous voyant. Ses gencives ressemblaient à celles de Bébé Jon, mon demi-frère.

—Euh, salut ! dis-je en entrant comme une voleuse, suivie de près par Jessica. Je m'appelle Betsy et voici Jessica.

Elle plaça une main derrière son oreille. Elle ressemblait à toutes les personnes âgées que j'avais déjà croisées dans le Minnesota : maigre et ridée, avec des cheveux blancs et des yeux bleus. Elle portait les bas habituels des vieilles dames – ceux qui montent au-dessus du genou –, avec une blouse d'intérieur jaune entièrement boutonnée.

—Hein ? demanda-t-elle.

Je m'approchai.

—J'ai dit… (La porte se referma derrière nous dans un soupir. *Dieu merci, enfin un peu d'intimité !*) Je m'appelle Betsy et voici Jessica.

—Hein ?

Oh ! super ! Je me penchai vers elle jusqu'à être assez proche pour l'embrasser. Elle sentait le jus de pomme. J'avais l'impression d'avoir été propulsée à l'époque où je faisais du bénévolat dans les hôpitaux. De mon côté, Dieu seul savait quelle odeur j'avais. Peut-être celle de l'ange de la mort ?

—C'est Annie qui m'envoie ! criai-je. Elle m'a dit de vous dire…

Elle s'approcha davantage. À présent, nous étions vraiment à deux doigts du bisou.

—Hein ?

—Annie m'a dit de vous dire qu'il n'y a jamais eu de carte ! m'égosillai-je, sans tenir compte des ricanements de Jessica.

Super. Avec un peu de chance, il restait peut-être une ou deux infirmières qui n'avaient pas entendu notre conversation très privée.

— Mais il y a un compte en banque : voilà tous les renseignements dont vous avez besoin pour y accéder !

Je lui tendis un morceau de papier plié.

— *No sé...*, fit-elle en secouant la tête. *No sé, no sé!*

— Oh ! fait chier ! (Je résistai à l'envie de passer le lit à travers la fenêtre.) Annie ne m'a pas parlé de ça.

Jessica s'était allongée sur l'autre lit et se tenait les côtes, secouée d'un rire hystérique.

— Plus fort, plus fort ! *No sé!*

— Tu veux bien te bouger le cul et venir m'aider ?

— J'ai pris allemand en deuxième langue, tu le sais bien !

— Tu m'es d'une grande aide, merci beaucoup. Je suis sûre que tu gagnerais la palme du pire acolyte de toute l'histoire des duos. Et maintenant ? Qu'est-ce qu'on fait ?

Heureusement, la vieille dame... Non, je devais me souvenir que c'était une personne à part entière. Elle avait un nom : Emma Pierson. Elle n'était pas seulement « la vieille dame ». Pendant que j'engueulais Jessica, Emma avait déplié le morceau de papier que je lui avais donné. Son visage s'illumina d'un grand sourire édenté. Elle débita quelque chose en espagnol (je ne l'avais étudié qu'une année au lycée et tout ce que je me rappelais, c'était : *¿dónde está el baño?*) avant de me serrer la main.

— *Gracias* ! *Muchas muchas gracias* ! Je vous remercie beaucoup ! Merci !

— Euh... *De nada*. Oh ! Avant que j'oublie : Annie s'en veut terriblement de vous avoir volé cet argent. Elle espère que vous prendrez du bon temps avec. Elle est... euh, *lo siento* ! Annie *es muy muy lo siento para*... euh... *para* avoir volé ? *El dinero* ?

Emma hocha la tête, sans se départir de son sourire. J'espérais sincèrement qu'elle savait de quoi je parlais. Dans le cas contraire, Annie reviendrait me payer une petite visite le soir même.

Puis, on se dévisagea en silence. Comme ça devenait gênant, je repris la parole :

— *Dónde está el baño* ?

Elle me donna des indications très compliquées. Aucun problème : je n'avais pas envie d'aller au petit coin, de toute façon. Puis on s'éclipsa après lui avoir fait signe de la main et crié « au revoir ».

— Je ne pense pas qu'elle ait entendu quoi que ce soit, fit remarquer Jessica en sortant son carnet de chèque de son sac et un stylo pour y griffonner quelque chose. Mais elle semblait au courant pour le compte.

— Peut-être qu'elle lit plus l'anglais qu'elle ne le parle. Ou peut-être qu'elle a reconnu le logo de la *First National Bank* et son nom…

— Peut-être. (Elle détacha un chèque – 50 000 dollars –, puis elle le glissa tout naturellement dans la boîte à suggestions avant de sortir.) Cet établissement a vraiment besoin d'un nouveau papier peint. Qui a choisi ce vert dégueu ?

— Tu me demandes ça à moi ? Cette maison de retraite ressemble à mon pire cauchemar. Regarde un peu ces pauvres gens. Ils cherchent un moyen de passer le temps en attendant de mourir.

— Il y avait quelques personnes dans la salle de jeu, dit Jessica, sur la défensive. Ils avaient l'air de bien s'amuser, avec leur puzzle géant.

— Pitié, arrête !

— OK, ça craint. Tu es contente ? J'avoue, je ne voudrais pas finir mes jours ici.

— Tu n'auras jamais ce problème, ma chérie.

— Oui, c'est vrai. Et toi non plus, d'ailleurs.

Cette pensée me remonta un peu le moral. Mon avenir ne consisterait jamais à passer mes derniers jours à manger de la compote avec des pantoufles *IKEA* aux pieds.

— Tu te souviens de la fois où tu as voulu faire du bénévolat, quand tu étais au lycée, et que tu n'as tenu qu'une journée parce qu'un vieux t'a frappée au genou quand tu as voulu l'obliger à finir son…

— Et si on évitait de parler pendant quelques minutes ? suggérai-je.

Cette peau de vache eut l'audace de ricaner jusqu'à notre retour à la maison.

Chapitre 10

— Je suis désolée ! Je suis vraiment désolée ! hoqueta-t-elle dix bonnes minutes plus tard. (J'avais du mal à croire qu'une histoire tellement ancienne puisse la mettre dans cet état.) C'est juste que tu es allée là-bas avec tant de bonnes intentions et… tu n'as même pas tenu une journée entière. Je me souviens que tu as boité pendant un mois !

— Les riches ne devraient pas avoir le droit de critiquer les pauvres, rétorquai-je.

— Hé ! Je travaille cinquante heures par semaine au *Pied*, je te signale.

Merde, elle avait raison. D'ailleurs, son dévouement avait toujours été un mystère pour moi. Elle affirmait que l'association caritative lui donnait un coup de pouce pour les impôts et qu'elle en avait toujours besoin lorsque la date limite de paiement arrivait, mais nous savions tous qu'elle mentait. Pour commencer, elle adorait y aller. Elle adorait voir l'argent de son père aider les mères sans ressources à apprendre à programmer des ordinateurs et à trouver du travail.

L'équipe de travail changeait constamment et j'y aidais aussi de temps en temps. Je m'occupais de la comptabilité lorsqu'un manager partait et qu'on ne le remplaçait pas tout de suite. Le boulot ne me dérangeait pas, mais je ne le vivais pas, je ne le respirais pas comme Jess le faisait.

— Elle avait l'air gentille, cette dame.

— Jess ! Elle ne nous a même pas dit trois mots pendant tout le temps qu'on a passé là-bas. Si ça se trouve, c'est une psychopathe folle dangereuse avec la bave aux lèvres.

— Tu crois que certains fantômes sont méchants ? Et qu'ils te demandent d'aider d'autres méchants ?

— Génial. Comme si je n'avais pas déjà assez d'horreurs en tête.

Quelle idée ! Je fis en sorte de l'oublier illico.

— Désolée. C'était juste une pensée en l'air. Tu crois vraiment qu'il y a des vieux psychopathes ?

— Bien sûr. Il ne s'agit pas que de tueurs, tu sais ? C'est une maladie mentale, comme la schizophrénie. Il n'y a pas que les trentenaires qui y sont abonnés. Ceux qui ne se font jamais attraper vieillissent normalement.

— J'ai lu quelque part qu'il n'y aurait pas autant de psychopathes – sociopathes ? – que les journalistes veulent nous le faire croire. Quelque chose comme le dixième du dixième de la population…

— Tant mieux, parce qu'avec les vampires… Si tu veux mon avis, eux, ce sont tous des psychopathes.

— J'aurais du mal à te contredire, admit-elle.

— Tu as raison, cela dit. Dans tous les livres, les films ou les feuilletons télé, on nous montre toujours une jeune femme courageuse – souvent une psy ou un agent du FBI, d'ailleurs – qui recherche un tueur en série qui l'a mystérieusement prise pour cible. Ou sa famille. Ou son chien. Et bien sûr, au bras de son héros tout aussi courageux, elle doit faire face à la menace de ce taré…

— *Destins violés* n'était pas si mal.

— Oh ! mon Dieu ! m'écriai-je en manquant de me prendre un panneau « stop ». C'est le pire film jamais tourné ! J'ai failli abandonner tout espoir en Angelina Jolie après l'avoir vu.

— Il fallait trop réfléchir pour ta petite tête ?

— Oh oui ! Qu'est-ce qu'il fallait réfléchir ! Angelina couche avec le gars qui pourrait être le méchant, ou peut-être pas.

Hmm… ça ne ressemblait à personne de mon entourage, n'est-ce pas ? Je repoussai l'idée dans le coin de mon cerveau qui me servait à stocker les mauvaises pensées : Prada en faillite, Sinclair reprenant ses esprits et me quittant, moi le quittant, le Thon emménageant avec nous…

— Jess, tu sais que je t'aime, mais…

— Ça faisait longtemps !

— Tu as des goûts de chiottes en matière de films. Je suis désolée : c'est la stricte vérité.

— Dixit la fille qui a acheté le DVD de *Blade IV* !

— C'était pour faire des recherches !

— Des recherches, mon cul, oui ! Tu as un faible pour Wesley Snipes, c'est tout !

— Quel cul, au juste ? Et d'abord, ce n'est même pas vrai.

Je m'étais déjà garée dans notre allée et on se disputait, assises dans la Stratus, quand je me rendis compte qu'il y avait une nouvelle voiture à côté du pick-up de Jon : une Ford Escort bleu marine.

Ça sentait le flic.

L'inspecteur Nick Berry, pour être exacte. Pas la peine de jeter un coup d'œil aux emballages vides de Milky Way abandonnés sur le siège passager pour m'en assurer. Depuis que je le connaissais, il n'avait jamais changé de voiture.

— Qu'est-ce qu'il fait ici ? demanda Jessica.

Je cognai ma tête contre le volant, si fort que le Klaxon retentit.

— Quoi encore ? gémis-je.

— Encore un de tes prétendants éperdus qui passent à la maison sans prévenir, lança-t-elle sur un ton enjoué qui m'agaça au plus haut point. On doit être mardi.

— Ça commence à devenir un vrai problème.

— Oh ! ça va ! Arrête de râler. Si tu t'entendais : « Salut, je m'appelle Betsy, je suis la reine des vampires, éternellement jeune et belle, fiancée au gars le plus cool de tout l'univers qui me saute tous les soirs et, si jamais il fatigue, des tas de types font la queue pour prendre sa place. » Bouuuuh ! Sérieux, c'est trop triste.

Je lui adressai le regard qui tue.

— Parfois, admit-elle, j'ai du mal à m'identifier à tes problèmes. C'était déjà bien assez difficile quand tu étais vivante.

— Ce n'est pas vrai ! m'exclamai-je, choquée.

— Je ne sais pas ce qui est le plus agaçant : être invisible, ou le fait que tu ne sois absolument pas consciente de l'effet que tu as sur les hommes.

— Jess, arrête ! « Invisible » est le dernier mot que j'utiliserais pour te décrire. Tu es sortie avec des sénateurs, je te signale.

Elle repoussa le souvenir du démocrate à coiffure impeccable d'une main fraîchement manucurée.

— Il ne courait qu'après mon argent.

— OK : pour celui-là, c'est vrai. Bon, il y en a peut-être eu trois ou quatre en tout. Tout ce que j'essaie de dire, c'est que ces gars sont un réel problème. Je te rappelle que la plupart du temps, je ne le fais pas exprès : c'est mon étrange sex-appeal vampirique, le coupable. Ce n'est pas parce qu'ils n'ont pas le mot « emmerdes » tatoué sur le front qu'ils ne vont pas nous en attirer. Pour ma part, j'aimerais bien avoir tes problèmes d'impôts…

— Oh ! non, crois-moi.

— OK, je mens. Tout ce que je veux dire, c'est que, moi aussi, j'envie certains aspects de ta vie : la nourriture solide, le lever du soleil…

— En général, je suis endormie à cette heure-là, me confia-t-elle.

— Eh bien, tu ne devrais pas ! Profites-en tant que tu le peux.

Ce n'était pas mon genre d'être aussi sérieuse. Je crois qu'elle le comprit car elle se contenta de hocher la tête sans faire de blague.

— Avant qu'on aille se jeter dans la situation infernale qui nous attend sûrement : n'oublie pas de me rappeler que je suis censée garder Jon, mon demi-frère, demain soir.

— Jon des Ailes, Bébé Jon… Comme si ce n'était pas déjà assez compliqué ! Sans oublier ton père, John l'éternel rabat-joie.

— Je t'en prie, n'allonge pas ma liste de soucis !

— Moi ? Mais ce n'est pas ma faute, ma puce.

Je sortis de la voiture, prête à faire face au nouveau problème. Avec un peu de chance, Nick cherchait seulement à faire capoter mon mariage. Cette pensée, pourtant triste, me remonta le moral.

Chapitre 11

— C'est moi qui suis chargé de l'affaire du tueur des parkings dans le Minnesota, nous expliqua Nick en touillant nerveusement son café avant de le poser sur la table basse devant lui.

— Le tueur des parkings ?

— Ce type qui saute sur les femmes quand elles se garent devant chez elles, qui les étrangle et les balance nues sur des parkings publics.

— Ah ! Ce tueur des parkings là !

C'était gênant à avouer, mais je ne regardais jamais les infos à la télé et je ne lisais pas le journal. Je ne le faisais déjà pas avant ma mort et rien n'avait changé après.

J'avais seulement feuilleté les avis de naissance lorsque le Thon avait atteint les huit mois de grossesse. Depuis que Jon était né, je ne m'en donnais même plus la peine.

Sérieusement : pourquoi est-ce que j'irais m'embêter avec ça ? On y racontait rarement des nouvelles joyeuses. Même dans le Minnesota qui avait pourtant l'un des taux de criminalité les plus faibles, les journalistes préféraient parler des mauvais côtés de la société. Et seulement des mauvais. Si je voulais déprimer, autant lire un bouquin à faire pleurer dans les chaumières.

Je ne faisais même plus attention à la météo. Et pour rien au monde, je ne regarderais la télévision. Moi, j'étais une adepte du DVD.

Tandis que Nick paraissait effaré que je puisse vivre dans une ignorance totale alors que le tueur en série vivait dans le même État que moi et que tous les médias possibles et imaginables – n'était-ce pas toujours le cas ? – en parlaient, Jessica se contentait de hocher la tête. Mon rejet pur et simple de l'actualité n'avait rien de nouveau pour elle.

— Oui, j'ai lu un article à son propos.

— Qui aurait pu passer à côté ? bluffai-je.

Ils choisirent de ne pas m'écouter : je ne méritais pas mieux.

— Alors comme ça, tu es chargé de l'affaire ? s'enquit Jessica.

— C'est ça.

— Tu dois attraper un tueur en série ?

— C'est ça.

Elle tenta de se maîtriser, pourtant, un éclat de rire lui échappa. Je savais parfaitement pourquoi elle réagissait de cette façon : de quoi avions-nous parlé quelques minutes auparavant ? C'en était presque ridicule.

Perplexe, Nick cligna des yeux. Il semblait sur le point de demander à Jessica quel était son problème, au juste. Peu importait le fait qu'elle fût la personne la plus riche de l'État.

— Il est tard, intervins-je. Elle est fatiguée. On l'est tous. Longue journée.

— Euh… Oui, fit-il en jetant un coup d'œil à sa montre. Il est déjà 22 heures passées.

— Je suis vraiment désolée ! s'exclama Jessica. Je ne me moquais pas de toi. Ni de ces pauvres femmes, d'ailleurs.

— Bien sûr que non, mentit Nick. Je n'en ai pas douté une seule seconde. (Il reporta son attention vers moi.) Bref. Betsy, excuse-moi d'être passé si tard, mais comme je sais que tu as des heures un peu décalées ces derniers temps, j'ai tenté ma chance.

— Vous serez toujours le bienvenu, inspecteur, dit Sinclair sur le pas de la porte.

Nick, qui était sur le point de soulever sa tasse, renversa son café. Très légèrement… mais assez pour abîmer le *Vogue* du mois dernier. Je ne pouvais pas lui en vouloir : Sinclair faisait autant de bruit qu'un chat mort.

— Mon Dieu ! Vous m'avez fait peur ! Et ce n'est pas quelque chose que les gros bonnets de la police de Minneapolis aiment admettre, plaisanta-t-il.

Il essayait vainement de dissimuler le fait que les battements de son cœur étaient passés de « ba-DUMP ba-DUMP » à « BADUMP BADUMP BADUMP BADUMP » !

— Veuillez m'excuser. Vous êtes bien Nicholas Berry, n'est-ce pas ?

— Nick, c'est ça.

Jessica m'adressa un regard moqueur tandis qu'ils se serraient la main et se toisaient mutuellement. Nick avait la carrure d'un nageur : tout en longueur, mince avec de grands pieds. Ses cheveux étaient dorés par le soleil – il aimait mettre de l'argent de côté pour aller faire de la plongée aux îles Caïman – et il avait d'adorables petites rides aux coins des yeux lorsqu'il souriait.

Sinclair était plus carré et plus grand, sans oublier beaucoup plus âgé que lui, mais Nick portait une arme et avait l'avantage de la jeunesse de son côté. En cas de duel, chacun avait ses chances.

Le problème avec ces présentations et ces « comment allez-vous ? », c'est qu'ils s'étaient déjà rencontrés. En fait, Nick était venu me trouver juste après ma transformation en vampire. Dans un moment d'extrême faiblesse, je m'étais retrouvée – presque – nue devant lui et je l'avais rendu fou, en quelque sorte.

Alors, Sinclair avait dû intervenir et se servir de ses pouvoirs vampiriques pour rétablir l'ordre des choses. Autrement dit, effacer de la mémoire de Nick tous les événements qui s'étaient déroulés depuis cette nuit-là : ma mort, le fait que nous nous étions vus – presque – nus et qu'il était devenu une véritable épave lorsque j'avais refusé de me nourrir de son sang une deuxième fois. Tout.

Le hic – enfin, l'un d'eux –, c'était que Nick continuait à apparaître dans ma vie aux moments les plus incongrus. Tina pensait qu'il se rappelait davantage qu'il ne voulait bien l'admettre. Personnellement, je ne savais pas sur quel pied danser. De toute façon, on ne pouvait pas se permettre de lui poser directement la question.

Alors, on resta poliment assis en faisant comme si de rien n'était, sans savoir qui jouait ou non la comédie. D'habitude, Sinclair et Tina pouvaient repérer un mensonge à des kilomètres, mais Nick était flic : mentir était son boulot.

— Je suis le fiancé de Betsy, Éric Sinclair, se présenta Sinclair.

— Oh ! fit Nick d'un air totalement dénué d'enthousiasme.

Quand Jessica m'adressa un regard provocateur, je faillis me jeter mon propre thé au visage. Au moins, ce problème-là serait bien réel.

— Le mariage aura lieu le 4 juillet.

— Le 15 septembre, le corrigeai-je rapidement.

— Comme je le disais, continua Sinclair sans ciller, nous nous marions le 15 septembre. Nous espérons que vous pourrez vous joindre à nous.

— Euh, merci. Je… merci. (Il baissa la tête pour contempler ses mains avant de reporter son attention vers moi.) Bref. Je ne t'ai pas encore dit la raison pour laquelle je suis passé : le tueur… il cible les filles dans ton genre.

— Vraiment ? m'exclamai-je d'un air plus que dégoûté. Un genre ? Quelle horreur !

— De grandes blondes, dit Sinclair, avec des yeux bleus ou verts.

Voyant nos mines effarées, il s'expliqua :

— Certaines personnes lisent le journal…

— Les grandes blondes ne sont pas rares dans le Minnesota, ajouta Nick. D'ailleurs, il s'agit peut-être d'une coïncidence de type géographique, mais tout de même…

— Qu'en dit le VICAP [1] ? s'enquit Sinclair.

Nick haussa les épaules.

— Les fédéraux n'arriveront pas à l'attraper. Aucune des données qu'ils ont entrées dans leurs ordinateurs n'a apporté le moindre résultat. Non, ce type sera arrêté par de bons vieux flics de chez nous.

Pour ma part, j'espérais que ce Vicap, qui qu'il soit, n'entendrait pas Nick descendre le FBI en flèche. Après tout, c'était leur boulot, non ? d'attraper des psychopathes ? Je ne remettais pas en doute les capacités de Nick… Cependant, j'étais rassurée de savoir qu'il n'était pas seul sur l'affaire. En réalité, j'étais surtout folle de joie de ne pas être personnellement impliquée.

— Je voulais simplement te mettre en garde, pour que tu surveilles tes fesses, dit Nick.

---

1. Le VICAP (*Violent Criminal Apprehension Program, en français : programme d'appréhension des criminels violents*) est un outil informatique utilisé par le FBI et destiné à collecter et analyser des données sur certains types de crimes violents. Il est utilisé essentiellement pour les enquêtes liées aux tueurs en série. (*NdT*)

Oups, c'était à moi qu'il s'adressait. Il était temps de revenir sur terre.

— Ne sors pas de ta voiture tant que tu n'as pas trouvé toutes tes clés. Ne t'attarde pas dehors quand tu vas chercher ton courrier ou autre. Vérifie toujours qu'il n'y a personne devant chez toi. Regarde bien derrière les haies en te garant. Ce type, je suis sûr qu'il les attaque quand elles sont distraites. Elles n'ont même pas le temps de klaxonner. Il y avait pratiquement toujours quelqu'un qui les attendait chez elles. Alors reste sur tes gardes et fais bien attention.

— Bien reçu, Nick, répondis-je sagement.

Évidemment, même si elles partaient d'un bon sentiment, ses recommandations frôlaient le ridicule. Je n'avais absolument rien à craindre d'un tueur en série. Toutefois, c'était adorable de sa part de s'être déplacé pour me mettre en garde.

Sauf si, bien sûr, il cherchait à nous faire réagir parce qu'il connaissait la vérité…

Non, non et non ! Cette façon de voir les choses appartenait à Sinclair. Il considérait le monde comme une grosse outre remplie de méchanceté prête à se déverser sur lui à chaque instant. Pour ma part, je m'étais juré que, même si je vivais des millions d'années, je ne verrais jamais uniquement le mauvais côté des gens. Du moins, j'essaierais.

— Vous avez des pistes ?

— Ça reste entre nous ?

— Nous et le *Pioneer Press* !

Ma blague pourrie ne lui arracha même pas un sourire.

— On n'a que dalle ! Aucun témoin, personne qui promenait son chien à la même heure… Cette crevure a vraiment beaucoup de chance.

— Vous l'aurez, lui assurai-je sur un ton que je voulais encourageant.

Ah ! les flics !

— Bien sûr, sauf s'il passe à autre chose... Mais pour ça, il faut qu'il commette une erreur. (Ses rides se creusèrent davantage tandis que son regard se posait sur le magazine taché.) Et pour qu'il fasse une erreur...

— Vous l'aurez, répétai-je. En tout cas, merci beaucoup d'être passé. C'est vraiment gentil de ta part. Je te promets d'être prudente.

— Oui, renchérit Sinclair en avançant vers la porte, indiquant clairement qu'il était temps pour Nick de partir. (Quel tact !) C'est très gentil à vous d'être passé pour mettre en garde ma fiancée. Vous pouvez me faire confiance : je la surveillerai de près.

Dans la bouche de n'importe qui d'autre, les mots auraient paru attentionnés et aimants. Dans celle de Sinclair, ils ressemblaient à une menace. Voilà qui était suffisamment louche pour que Nick lui adresse le regard du flic à qui on ne la fait pas.

Il se leva – à contrecœur, si vous voulez mon avis – et lui demanda :

— Vous venez d'emménager dans le coin, M. Sinclair ?

— Pas du tout, répondit Éric.

Je remarquai qu'il ne lui demanda pas de l'appeler par son prénom. En même temps, il n'y avait que mes colocs qui se le permettaient.

— Je vis ici depuis très longtemps.

— Oh ! OK ! Souviens-toi de ce que je t'ai dit, Betsy.

— Ne t'en fais pas, Nick. Merci encore de t'être déplacé.

— Jess, tu veux bien me raccompagner ?

Malgré sa surprise, elle se mit debout d'un bond.

— Bien sûr ! Comme ça, tu pourras vérifier qu'il n'y a personne dans l'allée.

— Je l'ai déjà fait, avoua-t-il en me souriant, quand je suis arrivé.

Chapitre 12

Mon oreille était pressée si fort contre la porte qui séparait le salon du couloir que j'avais sans doute des échardes jusque dans la cochlée – mes cours de biologie de seconde sur l'oreille interne continueraient à me poursuivre tout au long de mon existence.

— Merci encore d'être venu, dit Jessica d'un air résigné.

Elle pensait sûrement que Nick allait lui réclamer du fric pour le bal de la police qui approchait, ou un truc du genre. Je me sentais coupable. Son affection pour moi était un peu trop flagrante, mais que pouvais-je y faire ? Que pouvait-elle y faire ?

— Je suis content que tu sois restée éveillée si tard, toi aussi, avoua-t-il. Ça fait quelque temps que je voulais te parler, mais, tu sais, avec le boulot...

— Aucun problème, répondit-elle. Qu'est-ce que je peux faire pour toi ?

— Eh bien, le commissaire m'a dit t'avoir croisée au musée d'Art moderne et je sais que tu aimes ce genre de choses. Je ne sais pas si tu en as entendu parler, mais – tu dois déjà le savoir – le vernissage de la nouvelle expo de Matthew Barney a lieu ce week-end et je me demandais si tu voulais y aller...

— J'en serais mmm hmm hmm hmm.

— C'est très mal poli ! commenta Sinclair.

— Chuuuuuuut !

— Mmmm hmm hmm hmm ?

Merde ! Ils traversaient la maison ! Au moins huit portes me séparaient de l'entrée principale !

— Chérie, peu importe de quoi il s'agit. Elle t'en parlera à l'instant où elle sera de retour.

— Oui, oui, dis-je en me retournant. (Comme d'habitude, Sinclair avait envahi mon espace personnel, et comme d'habitude, je semblais l'amuser grandement.) Je suis curieuse, c'est tout.

— Fouineuse !

— Je mène une enquête, comme un reporter, me défendis-je.

M'attrapant par les épaules, il me souleva pour m'embrasser. J'agitai les pieds tout en lui rendant son baiser. Pour ma part, il s'agissait plus d'un petit bisou distrait qu'autre chose. J'étais trop occupée à me demander ce que ces deux-là pouvaient bien se raconter. Sinclair enfouit son visage dans mon cou, sans me mordre : un des gestes amoureux les plus sincères de la part d'un vampire.

Je suis certaine que la situation devait paraître très romantique et, dans un sens, elle l'était… Seulement, avoir les pieds dans le vide n'est pas la position la plus agréable. Alors je me mis à l'escalader à grand renfort de grognements et finis par passer les jambes autour de sa taille et les bras autour de son cou.

— Voilà qui est intéressant…, murmura-t-il. Des pensées bien plus alléchantes que les récents événements me viennent à l'esprit.

— Sale pervers ! Je n'arrive pas à croire que Nick soit passé comme ça.

L'expression de Sinclair se durcit.

— Moi, si.

— C'est tellement gentil de sa part.

— Oui. Très gentil.

— Houla, du calme ! Tu ne serais pas jaloux, par hasard ? Va te regarder dans une glace, mon pote, et après on en reparle !

— Je t'ai fait mienne et ce n'est pas pour que tu te laisses distraire par le badge bien astiqué de ce morceau de viande.

Ses paroles me clouèrent sur place. D'accord, je savais que Sinclair, comme tous les vampires, se sentait supérieur aux hommes normaux… Mais de là à les appeler des morceaux de viande avec des badges qui brillent !

— Tu ne m'as pas vraiment « fait tienne », je te signale, fut la seule chose que je trouvai à répondre. Je ne suis pas un ticket de Loto.

En voyant mon expression, il tenta de se justifier :

— Tu sais aussi bien que moi que tu es attirée par ce qui brille. Si tu étais une pie, tu lui volerais son badge pour le cacher dans ton nid.

— Qu… ? Euh… (*Bon : une chose à la fois.*) Écoute, la raison pour laquelle j'espionnais leur conversation, c'est que je… Jessica m'a dit la chose la plus idiote qui soit, en voiture tout à l'heure. Apparemment, parfois, elle se sent invisible à côté de moi.

— Qui a dit quoi ?

— Très drôle. Tu ne trouves pas ça idiot ? Parce que moi, oui.

— Totalement idiot, approuva-t-il.

Je voulus lui donner un coup de pied, puis je me rappelai que mes jambes étaient nouées autour de sa taille.

— Je suis sérieuse ! 1) C'est totalement faux et 2) c'est affreux qu'elle pense une chose pareille. Je crois savoir ce qui lui a mis une idée aussi stupide en tête.

— Le fait que tu sois une belle vampire, éternellement jeune à laquelle aucun homme ne résiste ?

— Non ! (C'était adorable de sa part, mais non !) Elle n'a pas eu de rendez-vous amoureux depuis une éternité. Sa dernière relation sérieuse remonte à… Merde ! Quand est-ce qu'elle a cassé avec dave ?

— Elizabeth…

Je posai le menton sur son épaule pour réfléchir.

— Est-ce que c'était avant ou après que mon père a organisé l'anniversaire du Thon au *Windows* ? Il – dave – l'a accompagnée pour l'occasion, mais c'était peut-être un de leurs rendez-vous « on peut rester amis ». Ou alors, ils vivaient encore ensemble à ce moment-là ?

— dave ?

— Oui. Quand ils se sont séparés, on a décrété qu'il ne méritait plus de majuscule à son prénom. Bref, il faut que je la remette en selle. Le problème, c'est qu'autour de moi, il n'y a que des gays ou des vampires.

— C'est un problème, effectivement.

— Ha ha ! Alors, tu admets que les vampires font des petits copains désastreux ?

— On en reparlera une autre fois. En revanche, je crois que ceci peut être très bénéfique pour nous.

— De quoi tu parles ? demandai-je en pressant mon front contre le sien. Tu vas bien ? Je n'ai pas l'impression que tu suis notre conversation…

— Donc nous, et quand je dis « nous », je veux en fait dire « tu », ma chère et tendre… Nous devons les soutenir.

— Hein ?

Alors que des pas rapides se rapprochaient de nous, Sinclair me reposa par terre. Aussi, la situation parut des plus innocentes quand Jessica déboula dans la pièce et s'écria :

— Nick m'a proposé de sortir avec lui ! (Puis, son air enjoué se transforma en grimace.) Je sais parfaitement que vous étiez en train de parler de moi, sales traîtres !

Chapitre 13

Je me repris rapidement. En d'autres termes, je bafouillai et marmonnai des inepties, et Sinclair dut voler à mon secours.

— Vous y croyez, vous ? s'exclama Jessica.

— Évidemment, très chère. Franchement, je suis étonné que la maison n'ait pas encore été prise d'assaut. Tu ferais honneur à n'importe quel homme.

Elle rayonnait.

— Oooh ! Éric ! Oublions cette image horrifiante et concentrons-nous sur le fait que j'ai un rendez-vous.

— Je suis surpris que tu sois surprise, dit-il.

— S'ils sont riches, ils ne tentent pas leur chance… expliqua-t-elle. Et s'ils ne le sont pas, ils paniquent à cause de ma fortune. Je simplifie à l'excès, mais l'idée est là.

— Je connais plusieurs hommes qui sauteraient sur la moindre occasion de te… côtoyer socialement, affirma Sinclair. Après tout, ma chère, à quoi servent les (nouvelle hésitation) amis ? Tu aurais dû nous en parler bien avant.

— Je ne sais pas trop. C'est difficile d'arranger le coup entre deux amis… L'ambiance peut vite tourner au vinaigre si l'entente n'est pas au rendez-vous.

— Attends une minute ! m'écriai-je. Éric Sinclair, tu savais parfaitement au moment où elle est rentrée qu'elle… Tu as entendu leur conversation ?

— Ce n'est pas nouveau, je te signale, rétorqua Jess. Vous avez tous une ouïe de félin ! C'en est flippant.

— Tu as pu tenir une conversation avec moi, m'embrasser et les écouter en même temps ? Mais à part ça, tu ne peux pas m'accompagner chez le fleuriste parce que tu as une conférence téléphonique avec Paris ?

— Je crois, répondit Sinclair, qu'on ferait mieux de se concentrer sur ce que portera Jessica au vernissage.

Jess ne tenait pas en place. Je ne l'avais pas vue aussi excitée depuis la fois où ses impôts étaient descendus à cinq zéros.

— Je pensais à ma robe Donna Karan noire.

— Pas question ! Toutes les femmes présentes auront misé sur la petite robe noire de rigueur.

— Pas faux, admis-je, momentanément distraite.

— De plus, tu dois à tout prix mettre en valeur ce teint magnifique.

À présent, Jess buvait ses paroles.

— Tu crois, Éric ?

— Tu as les pommettes d'une reine égyptienne, très chère. Tu es un lys royal. Il faut que tu te démarques de ce parterre de pâquerettes insignifiantes du Minnesota et, crois-moi, tu y arriveras facilement !

— Hé ! s'écria l'une des pâquerettes.

Ils continuèrent comme si de rien n'était.

— Éric, comme tu es gentil.

— Ce n'est pas de la gentillesse, très chère. Bien. Revenons au principal.

Il se mit à faire les cent pas. De mon côté, je commençais à me demander pourquoi j'étais sortie du lit ce soir-là.

— Tu pourrais porter ton fourreau Tracey Reese orange.

— Il est ouvert dans le dos, je crois. Ce n'est pas un peu trop osé pour un musée ?

— Alors pourquoi pas l'imprimé coquelicot Kay Unger ? suggéra-t-il.

— Je dois admettre, Sinclair, que tu n'as pas peur des couleurs ! commentai-je en essayant d'imiter le ton sérieux de mon fiancé – échec cuisant. On parle bien de la robe avec des fleurs vertes ? Des fleurs de la taille d'une tête ?

— Elle n'irait pas à n'importe qui, admit-il.

— Elle coûte une fortune, fit remarquer Jess en le regardant aller et venir comme une panthère noire. Je ferais mieux de la porter encore une fois.

— Il va falloir agir avec prudence, continua Sinclair. Tu dois trouver une tenue adaptée à ton rôle tout en restant suffisamment modeste pour ne pas que l'inspecteur Berry se sente mal à l'aise ou en position d'infériorité. Ce qui, étant donné la différence de revenus entre vous, va se révéler difficile.

Pour ma part, je bouillais intérieurement. Cette remarque me semblait tellement déplacée que je ne savais même pas par où commencer ma tirade.

— Si je comprends bien, il faut que je sois élégante sans laisser transparaître ma richesse, résuma Jess en passant à côté de l'impolitesse des remarques de Sinclair.

— Exactement.

— Excusez-moi, les interrompis-je. Sinclair, ne crois pas que j'ai oublié l'affaire du fleuriste et de l'écoute aux portes. Et ton soudain intérêt pour le rendez-vous de Jessica me perturbe à un point que tu n'imagines même pas. Jess ? Il faut vraiment que je te dise…

Quoi ? Qu'est-ce que je devais lui dire ?

Je n'arrive pas à croire que Nick t'ait proposé de sortir avec lui. Pour quelqu'un qui était censé s'intéresser à moi, il m'a vite oubliée ! Comment as-tu pu accepter sa proposition alors que tu étais persuadée que je lui plaisais ?

Non, il fallait que je fasse preuve de tact pour résumer l'étrangeté de la situation en une phrase. Le rôle de l'amie honnête demandait un effort intense.

— Je ne t'ai pas vue aussi excitée depuis un bout de temps.

— Mon dernier rendez-vous remonte à bien avant ta mort ! (Elle serra les mains sur la poitrine et tourna sur elle-même.) Et il est teeellement mignon !

— Extrêmement mignon, l'encouragea Sinclair. Vraiment très mignon.

Alors, je compris enfin ce qu'il manigançait. Sinclair ne faisait jamais rien sans avoir au moins une dizaine d'arrière-pensées. Il voulait un flic à sa botte. Ce serait très pratique. Bien sûr, il ne s'agissait que d'un premier rendez-vous, mais si tout se passait bien…

— Je croyais que tu ne sortais pas avec des Blancs, fis-je remarquer.

C'était un coup bas, mais j'étais suffisamment aux abois pour me raccrocher à n'importe quoi.

— Et je croyais que tu avais dit que c'était une attitude sectaire, complètement débile et dépassée ?

— Ah ! Parce que tu m'écoutes, maintenant ? marmonnai-je. Je ne reviens pas sur mes mots. Je dis simplement que tu ne choisis pas bien ton moment.

— Bon, maintenant que ce détail est réglé, concentrons-nous sur l'activité idéale post-exposition.

— Ce n'est pas la seule chose sur laquelle on doit se mettre d'accord, marmonnai-je.

Je parlais de nouveau – ô surprise – dans le vide.

— Comme l'inspecteur Berry a fait le premier pas, je crois qu'il serait juste de supposer qu'il prévoira de t'inviter par la suite à une distraction de ton choix.

— Tu t'investis beaucoup trop dans cette histoire, si tu veux mon avis. Est-ce que tu planifies aussi nos rendez-vous de façon aussi obsessionnelle ? Ah non ! Suis-je bête ! Tu ne m'invites jamais nulle part.

— La ferme, Betsy ! Pour une fois, c'est moi le centre de l'attention. Il va falloir t'y faire. Continue, Éric !

— Donc, il doit s'agir de quelque chose que vous aimez tous les deux, qui n'est pas excessivement cher et qui l'encouragera à te revoir dans un contexte social. Il faut toutefois veiller à ce que l'activité ne soit pas trop intimidante ou qu'elle ne crée pas de fausse intimité.

Je relevai une ceinture imaginaire.

— Eh ben, c'est pas de la rigolade, ça, shérif !

— Un dîner décent est hors de question, idem pour un dernier verre ici. Cette maison ne lui enverra pas les bons signaux. Ton idée du fast-food est un homard sur le pouce… ce qui nous laisse des activités de… euh… classe moyenne. En d'autres termes…

Jessica était pendue à ses lèvres. J'attendais également la chute. Quoi ? J'avais bien le droit d'être curieuse. Il aurait pu écrire un livre. Personne n'était doué pour les rendez-vous amoureux. Tout le monde recherchait des conseils.

— Un café et un dessert chez *Nikola*, conclut-il après un moment de réflexion. Le café y est excellent, la nourriture, délicieuse, et la note ne sera pas faramineuse si vous ne mangez pas un repas complet. De plus, les *biscotti* sont faits maison !

— Oooooh ! Sinclair, tu es vraiment le meilleur !

— Je sais, répondit-il fièrement.

— Et moi, je suis morte de trouille, marmonnai-je.

Chapitre 14

Avant d'avoir pu prendre Sinclair à part pour lui dire ma façon de penser sur… toute la situation, ou m'expliquer avec Jessica, quelqu'un sonna à la porte.

— Jessica, même si j'aimerais continuer cette conversation, je dois te demander de nous excuser, dit Sinclair.

— Oooooh ! s'exclama-t-elle. Encore une affaire de vampires ? (La soirée m'apportait choc après choc. Je n'avais jamais entendu autant de « Oooooh ! » sortir de sa bouche.) Qui est-ce ?

— Personne que je désire te présenter. (Il désigna la porte qui menait à l'escalier d'un geste de la tête.) Si tu veux bien te donner la peine…

Je ne savais pas quoi faire et, vu son expression, Jessica non plus. Après quelques minutes de silence tendu, elle haussa les épaules et s'éclipsa.

— Tu auras tout le loisir de crier plus tard, me lança-t-il en se dirigeant vers la porte d'entrée.

J'étais terrifiée à l'idée de découvrir qui se cachait derrière… mais comme d'habitude, mon imagination s'était emballée. Il s'agissait seulement d'une dame à l'air très gentil – et très belle, en toute honnêteté. Avec son chemisier lilas, sa jupe grise, ses bas adéquats et ses escarpins noirs, elle ressemblait à une bibliothécaire. Ses chaussures en cuir n'avaient pas la moindre éraflure.

Elle devait avoir la cinquantaine, comme en témoignaient les quelques mèches argentées dans ses cheveux noirs et les pattes d'oie au coin de ses yeux.

Ses yeux...

Il y avait quelque chose qui clochait chez eux. Parfois, Sinclair avait un regard similaire. Quand la situation l'énervait – c'est-à-dire quand un méchant vampire essayait de me tuer –, ses yeux se transformaient. Ils devenaient si noirs qu'on se voyait dedans, un peu comme ces lunettes de soleil que les flics portent. C'est difficile à expliquer, mais je n'y discernais que mon propre reflet. La plupart du temps, le regard de Sinclair débordait de tendresse, d'amour, voire d'inquiétude. Parfois, j'y lisais ce qui le faisait rire... De bonnes choses, en soi. Lorsque tout ceci disparaissait, j'étais généralement trop occupée pour m'en rendre compte et m'en soucier.

Vaguement terrifiée, j'observais la vieille dame devant moi. Elle fit la révérence en débitant rapidement une phrase en français, si mes souvenirs sont bons.

Sinclair lui adressa un sourire dont le taux de sincérité ne dépassait pas les 85 %.

— Bonsoir, Marjorie.

— Majestés !

— Je suis heureux de vous revoir.

— De même, monsieur.

Sinclair se pencha pour lui baiser la main, à l'européenne. Je lui tendis ensuite la mienne pour qu'elle la serre avant que quiconque puisse l'embrasser. Elle s'exécuta en souriant, pourtant, je faillis la repousser aussitôt. Sa peau était froide : rien d'étonnant à cela. En revanche, ce que je n'avais pas prévu, c'était de ne rien voir d'autre dans ses yeux que mon reflet.

Il devait s'agir d'une vampire très ancienne. Quelqu'un qui avait tout vu… absolument tout. Et qui, à présent, se foutait complètement du reste du monde. Je la plaignais autant que je la craignais. Je me sentais triste pour ce genre de personnes.

— Je suis ravie de vous rencontrer, mentis-je.

Elle pencha la tête.

— Majesté, nous nous sommes déjà rencontrées.

— Bien sûr que non.

Je n'aurais jamais pu oublier ces yeux. Même ceux de Nostro n'avaient rien de comparable. Non, c'était la première fois que je la voyais et, après ce jour-là, j'espérais ne plus jamais la croiser.

— Je faisais partie d'un groupe qui est venu vous présenter ses respects après le… euh, l'accident de Nostro sur ses terres. Peut-être ne m'avez-vous pas remarquée.

— Non, visiblement pas.

Comme je ne voulais pas la décevoir – difficile à dire : elle exprimait autant d'émotions qu'un robot –, j'ajoutai :

— Désolée de ne pas vous avoir repérée dans la foule.

— Il n'y a aucun problème, ma reine. Dernièrement, vous avez eu… un emploi du temps bien rempli.

J'éclatai d'un rire sans joie. Ce robot avait été programmé pour faire des remarques amusantes !

— On peut dire ça.

— Vous voulez boire quelque chose ? Nous avons un Château Leoville Poyferré que vous apprécierez sûrement.

Ah bon ?

— Mon roi, c'est la proposition la plus tentante que l'on m'ait faite cette année. Malheureusement, je dois retourner à mes obligations. Je suis simplement venue demander une faveur à notre reine.

Ah bon ? Remarquez, au moins, elle parlait la même langue que moi.

— Très bien, dis-je. Mettez-vous à l'aise.

— Merci, ma reine.

Pour gagner du temps, on s'installa dans le salon adjacent au hall d'entrée où cette bonne vieille Marje nous suivit rapidement.

— Comme vous le savez, je m'occupe de la bibliothèque du centre-ville.

J'avais raison : elle était bien bibliothécaire ! Je hochai la tête pour lui faire croire que je le savais déjà.

— Je compte mettre en place une newsletter pour la communauté vampirique.

— Vraiment ?

— C'était votre idée, ma reine. « C'est pas possible à la fin ! Pourquoi vous ne mettez pas en place une newsletter ou un truc dans le genre, bordel ? »

Sinclair sourit jusqu'aux oreilles.

— Voilà qui est flagrant d'authenticité !

— Quand est-ce que j'ai dit ça ?

— Lors de notre première rencontre dont vous ne vous souvenez pas.

— Désolée, mais je devais avoir deux ou trois choses en tête ce jour-là ! Si vous n'êtes pas capable de venir vous présenter personnellement, ne vous plaignez pas qu'on ne se souvienne pas de vous !

— Je vous demande de nouveau pardon, répondit Marjorie d'une voix monotone, pour tous mes défauts.

— Et en plus, vous piquez des répliques d'*Autant en emporte le vent* !

Le robot sembla enfin se détendre. Elle réussit même à sourire légèrement.

— Vous avez vu le film ?

— Seulement huit mille fois. Cette scène n'est pas dans le livre, mais elle est vraiment réussie… Rhett se fait traiter de lâche. Pourtant, il refuse de céder à la provocation parce qu'il sait très bien qu'il peut tous les battre à plate couture. Comme tuer Charles Hamilton serait un gros gâchis, il se contente de faire la révérence et de partir.

— Je pense que ça annonce un sujet beaucoup plus large qui est présent à la fois dans le livre et le film, répondit Marjorie d'un air pensif, croisant les chevilles comme une dame de la haute société. On nous montre souvent les défauts de Rhett. Ses bons côtés n'apparaissent généralement que lorsque Scarlett est impliquée.

— Oui, comme lorsqu'il lui apporte son chapeau après le renforcement du blocus et vole un cheval pour qu'elle puisse rendre visite à sa mère hors de la ville. Alors qu'elle est déjà morte, mais Scarlett l'ignore, bien sûr.

Marjie sourit patiemment en écoutant mon interruption passionnée.

— À ce moment-là, il a l'occasion de tuer un homme appartenant à la même classe de planteurs que lui, dans un duel qui serait acceptable par la société. Pourtant, il…

— … s'enfuit dans la bibliothèque où il rencontre Scarlett et toute l'histoire commence.

— Amour. Mort. Guerre, soupira-t-elle. C'était le bon temps !

Je choisis de passer outre à l'étrangeté révoltante de la bibliothécaire et continuai sur la même, euh, veine :

— Vous savez, je n'avais jamais vu les choses sous cet angle-là ! Dès le début, il aurait pu se racheter, en fait.

Marjorie haussa les épaules.

— Je lis ce roman depuis qu'il existe. Pourtant, je découvre chaque fois quelque chose de nouveau. Quelle œuvre extraordinaire !

Pas possible ! Quelqu'un qui aimait *Autant en emporte le vent* ne pouvait pas avoir un mauvais fond, n'est-ce pas ? En tout cas, j'avais envie d'y croire.

— Écoutez, je suis désolée que l'on soit parties sur de mauvaises bases. Je ne suis pas douée pour me souvenir des noms et des visages. Excusez-moi de ne pas vous avoir remise.

— Ne vous en faites pas, ma reine, répondit-elle. (Cette fois, elle semblait vraiment le penser.) Je suis ici pour vous demander une faveur. Je ne suis pas en position de vous en vouloir.

— C'est vrai… mais, personnellement, ça ne m'en a jamais empêché. Qu'est-ce qui se passe ?

— Comme je vous l'ai dit tout à l'heure, je travaille à la bibliothèque locale.

La bibliothèque locale ? Il en existait plusieurs ?

— Bien sûr, je m'en souviens.

Sinclair m'adressa un regard sceptique que je fis semblant de ne pas remarquer. Même s'il n'avait pas prononcé un seul mot depuis plusieurs minutes, il semblait soulagé de ne pas avoir à nous empêcher de nous arracher les yeux.

— Et comme je l'ai dit également, je vais mettre en place une newsletter. Elle sera consultable en ligne, uniquement par les vampires qui auront les mots de passe adéquats, etc.

— Vous n'avez pas peur que quelqu'un vous pirate ?

Son sourire se fit forcé.

— Absolument pas.

— D'accord. Continuez.

— J'aimerais que vous y participiez, ma reine.

— Y participer ? Vous voulez dire écrire quelque chose ?

— Oui, madame. Tous les mois.

— Mais… Marje !

— Marjorie, me corrigèrent Sinclair et Marjorie simultanément.

— Il existe sûrement des millions de gens qui pourraient s'en charger.

— Ce n'est pas le problème, ma reine. Vous n'êtes pas sans savoir que certains de vos sujets ont un peu de mal à accepter votre… nouveau statut.

— Quel tact ! Je suis bluffée.

— Merci, ma reine, dit-elle avec un petit sourire. Je pense, et beaucoup de mes semblables sont de mon avis, que vous devriez vous servir de ce médium pour vous faire connaître de votre communauté. Cela leur permettrait d'apprécier celles de vos qualités qui ne sont pas… apparentes au premier abord.

— Waouh ! m'exclamai-je en secouant la tête, muette d'admiration. Vous devriez travailler pour les Nations unies ! Quand c'est lui qui me dit un truc pareil, je me mets tout de suite en colère.

La mère Marje hocha la tête modestement tandis que Sinclair se contentait de m'adresser un regard assassin.

— Que voulez-vous que j'écrive ?

— Ce qu'il vous plaira. Des observations sur le voisinage, des essais sur le conflit éternel qui oppose les humains et les vampires, les avantages et les inconvénients d'avoir des moutons…

— J'ai compris !

— Ah ! le problème des moutons ! J'admets qu'il peut être controversé…

— La ferme, Marje ! (Je vis Sinclair tressaillir, mais ça m'était égal.) Je sais ce que je vais faire : lancer une lettre ouverte à Betsy ! Quelle est la chose dont j'ai toujours rêvé depuis que je me suis réveillée en vampire ?

— Un mouton ?

— Marje, ta gueule ! Non, j'aurais simplement voulu que quelqu'un réponde franchement à mes questions concernant les vampires. Qu'on arrête avec ces conneries politiques du genre : « Tu peux tuer des innocents du moment que tu te ranges du côté de machin ou de truc ». Il nous faut du concret. Ma page s'appellera « Chère Betsy ». J'écrirai l'équivalent du courrier du cœur pour les vampires !

« Oooooh ! », comme le disait si bien Jessica : j'étais tellement excitée que j'avais du mal à rester assise.

Sinclair se frottait les yeux. Marjorie se tourna vers lui pour trouver un appui, mais se rendit rapidement compte qu'elle n'en aurait pas. Alors, elle reporta son attention sur moi.

— Ma reine… je vous avoue que j'avais en tête une approche plus… universitaire.

— Alors, vous vous êtes plantée d'adresse. Je n'ai pas fini la fac.

— Oh !

— Mais je suis sûre que vous, si.

— Je possède quatorze doctorats.

— Oh ! la grosse tête ! (*Quatorze ?! Pas étonnant que je l'aie confondue avec un robot !*) Revenons à moi. Quand avez-vous besoin de mon premier article ?

— Euh… Quand il vous plaira. La lettre d'information sera publiée selon votre emploi du temps…

— Il sera prêt à la fin de la semaine. Il n'y a pas une minute à perdre. Au moment où l'on parle, il y a probablement un nouveau vampire qui ne sait pas comment agir.

—Et vous allez tous les infecter…

—Quoi ?

—Je disais que nous allons avoir quelque chose à fêter. Je ferais mieux de retourner à la bibliothèque pour… me préparer.

—Génial ! fis-je en me levant d'un bond.

Sinclair, lui, se leva lentement, comme un très vieil homme. Marjorie l'imita. Étrange. Ils paraissaient tous deux anéantis et résignés à la fois.

Il lui baisa de nouveau la main.

—Merci.

—Je ne fais que mon devoir, mon roi.

—Merci d'être passée.

—Je suis à votre service, monsieur.

—Oui, merci, les interrompis-je. (J'avais le mauvais pressentiment qu'ils parlaient de tout autre chose que le sujet apparent.) Envoyez-moi votre adresse e-mail et je vous ferai parvenir mon article dans quelques jours. La mienne, c'est : LaReine1@yahoo.com.

Était-ce un frisson d'horreur qui venait de la parcourir ? Non, impossible. Mon imagination me jouait des tours.

Soudain, j'entendis Marc garer son épave et remonter l'allée d'un pas vif. Je n'avais jamais réussi à comprendre comment il pouvait rester aussi énergique après quinze heures à travailler debout aux urgences.

Il ouvrit la porte et nous aperçut dans le vestibule. Quand il couvrit la distance qui nous séparait d'une de ces grandes enjambées dont il avait le secret, ses yeux verts s'illuminèrent.

—Salut les gars !

J'étais tiraillée. Comme Marc était un peu dépressif et accumulait les problèmes – gay, père mourant, perte de cheveux avant l'âge –, ça me faisait toujours plaisir de le voir heureux. Lors de notre première rencontre, il avait été sur le point de sauter du toit de l'hôpital dans lequel il trimait. Je l'en avais dissuadé et l'avais ramené avec moi à la maison. Depuis, il vivait avec nous. Durant ces derniers mois, il avait installé son père dans un hospice de grande qualité. Il s'agissait d'une petite maison privée où l'infirmière ne s'occupait que de trois personnes : rien à voir avec une maison de retraite habituelle, en somme. Quoi qu'il en soit, il avait réussi à caser son père quelque part et lui rendait visite aussi souvent qu'il pouvait le supporter – je supposais que leurs relations étaient tendues –, avait un nouveau chef de service au boulot, s'était laissé pousser les cheveux et avait même eu un rendez-vous galant durant ces cinq dernières semaines !

Toutefois, je ne me réjouissais pas à l'idée de le savoir dans la même pièce que Marjorie. Aux yeux des vampires, Marc ressemblait à un petit chiot… Il n'avait aucune idée du danger qu'ils représentaient.

— Comment ça va ? Qu'est-ce que vous faites ? Qu'est-ce qui se passe ?

Ouaf, ouaf, sniff, sniff, sniff !

Les narines délicates de Marjorie se dilatèrent.

— Votre animal de compagnie sent l'hémoglobine.

— Ouais, un gamin est tombé d'un arbre. Il ne s'est pas raté ! répondit Marc sans prêter attention à la façon dont elle l'avait appelé – à moins qu'il ne l'eût pas entendue. Il m'a mis du sang partout ! J'ai déjà changé de blouse, mais j'ai besoin d'une bonne douche. Bonjour, au fait, ajouta-t-il en lui tendant la main. Je m'appelle Marc Spangler. J'habite ici avec Betsy et Éric.

Lorsqu'elle observa la main tendue vers elle comme un serpent mort, j'écarquillai tellement les yeux qu'ils faillirent tomber de leurs orbites. J'étais prête à lui botter le cul (Non, mais c'est vrai, quoi ! Pourquoi est-ce que les vieux vampires ont toujours un comportement de merde face aux gens normaux ?) quand Sinclair me serra la main… très fort.

Je gémis au moment où Marjorie se décida à saluer Marc.

— Vous vivez ici avec eux ? demanda-t-elle.

— Ouais, répondit-il gaiement. C'est mon modeste chez-moi. Bon, ce n'est ni modeste ni chez moi, mais c'est encore mieux.

— Hmm ! On dirait une citation d'Olivia Goldsmith…

— Oui ! s'exclama Marc. Vous aimez ses livres ?

— C'est celle qui est morte par liposuccion, n'est-ce pas ?

— Non, corrigea-t-il, elle est morte suite aux complications d'une liposuccion, c'est différent.

— Je vois. Si vous vivez ici avec eux, pourquoi allez-vous travailler ?

— Euh… (Il prit quand même le temps de réfléchir à la question quelques secondes.) Parce que je ne suis pas un parasite ?

— Hmm…

Elle l'attrapa par le col pour l'attirer à elle. Il se pencha avec un croassement. Il faisait vingt centimètres et quinze kilos de plus qu'elle, mais elle le jugulait – sans mauvais jeu de mots – avec facilité, comme s'il était un mannequin poids plume.

— Vous n'avez jamais été mordu ! dit-elle en inspectant son cou. Pas encore, en tout cas. Mmm…

J'ouvris la bouche. « Enlève tes sales pattes de lui, tout de suite ! » était sur le point d'en sortir lorsque Sinclair resserra sa prise. Alors, je me contentai de grogner. Je pouvais sentir les petits os de mes mains craquer les uns contre les autres. Il ne me faisait pas mal, mais bon, je n'aurais pas passé la journée dans cette position.

— Marjorie, n'avez-vous pas des affaires pressantes à régler ? lui demanda-t-il calmement.

Tirée de sa transe, elle releva la tête. Je fus choquée de voir que ses canines s'étaient allongées.

— Hein ? Oh ! (Quand elle relâcha Marc qui se redressa d'un bond, il était clair qu'elle était extrêmement déçue par la tournure des événements.) Oui, bien sûr ! Veuillez me pardonner. Je n'ai pas encore soupé ce soir. J'en oublie mes manières. Permettez-moi de me retirer.

— Ravi de vous avoir rencontrée, lança Marc.

Tandis que Marjorie disparaissait dans la nuit après nous avoir salués une dernière fois, j'observai Marc et compris : il n'avait aucun souvenir des quelques minutes qui venaient de s'écouler. Il ne s'était pas aperçu du danger, ni d'une quelconque cruauté ou incorrection de la part de Marje. Pour lui, il avait simplement rencontré une gentille vieille dame en rentrant du travail, et maintenant, il allait prendre une douche.

— Je crois que je vais aller prendre une douche, annonça-t-il. À plus tard, vous deux !

Je commençais vaguement à comprendre pourquoi Sinclair 1) s'était débarrassé de Jess, 2) était resté poli malgré des provocations extrêmes et 3) m'avait empêchée de me jeter dans la gueule du loup.

— J'espère que tu l'as bien regardée, me dit-il en écoutant la voiture qui s'éloignait. Car tu ne rencontreras sûrement jamais de vampires plus âgés qu'elle.

— C'est une connasse.

Il haussa les épaules.

— Elle est âgée. Peu de choses la… surprennent encore. Pourtant, toi, tu as réussi. (Son sourire ressemblait au lever du soleil le dernier jour de l'hiver.) Tu as été parfaite.

— C'est difficile de détester quelqu'un qui a si bon goût en matière de cinéma. Mais si elle avait essayé de toucher Marc, j'aurais été forcée de lui donner une bonne fessée…

Il avait cette expression bizarre, comme s'il se retenait de rire.

— Surtout pas ! Ou en tout cas, si tu décides de faire une chose pareille, parles-en avec moi d'abord. Ne t'en prends jamais à elle seule. Jamais, tu m'entends ?

— Bien sûr, Sinclair : c'est tout moi ! Pourquoi ne pas créer un comité, aussi, et voter pour tout et n'importe quoi ?

Il plissa les paupières sans se départir de son sourire pour autant.

— Écoute-moi, s'il te plaît. Elle est très âgée, et, comme je te l'ai dit, elle a beaucoup d'amis… qu'elle a transformés elle-même, si tu vois où je veux en venir. Elle est… je suppose qu'on peut dire qu'elle a ses habitudes. De vieilles manies.

— Oui, oui, j'ai compris. Elle est vieille ; elle est têtue comme un pou ; elle voit les humains comme des paniers-repas sans cervelle ; elle a des millions d'amis, et si elle ne m'aime pas, elle pourrait me causer beaucoup d'ennuis.

— *Nous* causer beaucoup d'ennuis, me corrigea-t-il. Il est important de rester en bons termes avec Marjorie et ses semblables. Lorsque je suis allé en Europe en automne dernier…

Il ne m'avait jamais vraiment parlé de ce voyage. Il s'était contenté de me ramener un joli cadeau et de mentionner quelques amis.

— Oui ?

— Disons simplement que le nombre de vampires qui nous sont défavorables m'a consterné.

— Oui, mais tu as arrangé les choses, pas vrai ? Tu t'occupes toujours de tout. Comme ce soir. Oh ! Au fait… (J'étirai ma main. Si j'avais été vivante, elle m'aurait fait un mal de chien.) La prochaine fois, fais-moi plutôt un dessin. J'ai encore besoin de mes mains.

— Pour écrire ta colonne « Chère Betsy ».

— Tu ne viendrais pas de lever les yeux au ciel, par hasard ? demandai-je. Tu oses lever les yeux au ciel devant moi, M. Éric Sinclair ?

— Oh ! non, ma bien-aimée ! Je ne serais jamais irrespectueux envers ma reine.

J'éclatai de rire.

— Tes répliques sont tellement merdiques que tu en as les yeux marron !

— Ils sont toujours marron, admit-il en me prenant dans ses bras.

Il m'embrassa tendrement et pendant si longtemps que j'en oubliai l'existence de Margaret. Marje. Quelle importance ?

— Ce n'est vraiment pas le bon moment ni le bon endroit, marmonnai-je contre sa bouche tandis qu'il m'allongeait sur l'un des canapés incroyablement inconfortables du salon.

— Si quelqu'un approche, je l'entendrai de loin, dit-il.

Après avoir ouvert mon chemisier, il baissa mon pantalon jusqu'à mes genoux.

— Et si c'est moi qui viens ? le taquinai-je en caressant la bosse qui tendait son pantalon.

Il grogna.

— Ne fais pas ça, si tu ne veux pas que je finisse avant d'avoir commencé.

— Éric, tu parles comme un homme qui a été négligé.

Appuyé contre le canapé, il ouvrit sa braguette, écarta ma culotte et s'enfonça en moi… comme par magie.

— Je suis négligé, me murmura-t-il à l'oreille. Quand je ne suis pas à l'intérieur de toi, je me sens négligé.

— Elle est nulle, ta repartie, murmurai-je à mon tour. (Je posai le pied contre l'accoudoir du canapé pour répondre à ses mouvements.) Et on va finir par casser ce canapé !

Rien à foutre du canapé !

Cette pensée – froide et insensible, mais terriblement sexy – fut le déclencheur. J'entendis quelque chose craquer sous moi quand une vague de plaisir me submergea. Tandis que je m'accrochais à Éric comme si ma vie en dépendait, sa voix résonna dans mon esprit, comme un murmure de désir pénétrant.

Ô mon Elizabeth ma reine je t'aime t'aime t'aime t'aime…

Personnellement, j'espérais qu'il aimait aussi réparer les canapés, parce qu'on allait bientôt devoir s'y coller. Il se laissa aller contre moi en grognant, ce qui provoqua un gémissement de ma part.

— Me tuer ! marmonna-t-il. Je suis un vieil homme et tu essaies de me tuer !

— Hé ! C'était ton idée, je te signale. Et puis, tu es toujours dans la fleur de l'âge… pour un immortel, précisai-je en gloussant.

— Tu n'oserais pas te moquer de moi, ma chérie ?

— Jamais de la vie, Éric, répondis-je gravement en me mordant les lèvres pour ne pas recommencer.

— Tu blesserais mes sentiments si tu osais te moquer de moi lors d'un moment de vulnérabilité comme celui-ci.

— Je ne ferais jamais une chose pareille, Éric. Au fait, l'invention du télégraphe, c'était comment ?

Alors qu'il s'élançait après moi dans l'escalier, je pris note d'appeler quelqu'un le lendemain pour jeter un coup d'œil au divan.

Chapitre 15

Il était presque 5 heures et je me préparais à aller au lit (*Enfin ! Quelle longue et étrange journée !*), lorsque des coups brusques furent frappés à ma porte.

— Entrez ! lançai-je en finissant de boutonner mon pyjama.

Ah… Il était tellement doux au toucher !

Après avoir ouvert la porte, Jessica passa la tête à l'intérieur et grogna en me voyant.

— Putain Betsy ! Je vais finir par t'acheter des pyjamas dignes de ce nom ! Tu n'as pas à porter ces horreurs.

— Quoi ? m'écriai-je. Il est tout neuf !

— Ah bon ? Et qu'est-ce que Sinclair en pense ?

— Je t'ai dit qu'il était neuf. Il ne l'a pas encore vu.

— Dès qu'il le verra, il annulera le mariage. Crois-moi.

— Oh ! la ferme, tu veux ?

Je m'approchai du miroir pour admirer la flanelle bleu marine parsemée de pois rouges. Les manches et les jambes étaient trop longues car je l'avais déniché dans le rayon « hommes ». J'y faisais souvent des achats à cause de ma taille. Mais après quelques lavages, on n'y verrait que du feu. Et puis, il était bien chaud.

— Tu n'es pas venue jusqu'ici pour critiquer mon pyjama. Ou du moins, je l'espère. Parce que, franchement, ça serait un coup bien bas.

— Bien sûr que non ! Quoi que… ça pourrait m'occuper une bonne partie de la nuit.

— Dit-elle alors qu'elle porte des maillots de foot pour dormir !

— Ça n'a rien à voir.

— Je crois que je préférais l'époque où tu ne me parlais plus.

— Trop tard ! Écoute, je voulais simplement vous parler avant que vous alliez vous coucher. Où est Sinclair ?

— Il s'est jeté sur l'ordinateur après le départ de la vieille méchante louve.

— Hein ? D'habitude, il compte pratiquement les secondes pour te rejoindre et le faire une dernière fois avant de dormir !

— On l'a déjà fait, admis-je. Juste après le départ de Maggie.

— Vous avez encore souillé une pièce… Maggie, c'est le vampire qu'il ne voulait pas que je rencontre ?

Je frissonnai.

— Ne lui en veux pas, Jess. Il avait raison. Elle est dérangeante. Elle a des yeux de poupée.

— De Barbie ou de poupée Corolle ?

— Vides. (En lui désignant mon visage, je tentai de décrire l'étrangeté de cette femme en moins de cinq mots.) Brillants.

— Brillants ?

Je me rendis compte qu'elle se retenait de rire. Jess n'avait jamais rencontré Nostro. En fait, après avoir lu le *Livre des Morts* et être passée du côté obscur de la force, j'étais le plus méchant vampire qu'elle eût jamais croisé. Autrement dit, elle n'avait jamais vu de méchants vampires dignes de ce nom.

— Elle a failli mordre Marc. Non seulement il l'a laissée l'attraper, mais en plus, il ne s'en souvient plus. Je suis sérieuse : ne t'avise pas de l'approcher !

— Eh bien, si Sinclair s'inquiète, ça me suffit. J'ai déjà bien assez d'affreux vampires autour de moi. (Elle se laissa tomber sur la chaise que je verrais toujours comme celle de Marie.) Est-ce que ça te dérange si je sors avec l'inspecteur Nick ?

— Si tu comptes le fréquenter sérieusement, tu ferais mieux de t'habituer à l'appeler seulement par son prénom.

Elle repoussa ma remarque d'un geste de la main.

— Oui, oui. Alors ?

— Aucun problème. Ça ne me dérange pas. J'ai juste été un peu surprise, c'est tout. Mais agréablement, hein ! ajoutai-je aussitôt. Sinclair a raison. Quelqu'un aurait dû te passer la corde au cou depuis longtemps.

Elle sourit légèrement.

— Oui, eh bien, personne n'a encore essayé.

— Je pensais simplement que ça faisait un bail que tu n'étais pas sortie avec quelqu'un… Le dernier, ce n'était pas dave ?

Hochant la tête, elle tritura le col de sa chemise.

— Ouais, dave avec un « d » minuscule. Je m'en souviens.

— OK. Écoute, je sais que Nick est gentil, qu'il a un bon boulot et qu'il est… à croquer, alors ne te prive pas, mais…

Je laissai ma phrase en suspens parce que ma conscience me tiraillait. Devais-je la prévenir que Sinclair ferait tout son possible pour assurer le succès de cette relation ? Qu'il était sournois et que c'était sa façon de faire ? Nick appréciait Jessica pour ce qu'elle était – ou pas, nous n'avions pas encore résolu ce problème –, mais Sinclair, lui, voyait avant tout le badge de Nick.

Ou devais-je me taire par loyauté envers mon fiancé, le roi des vampires ?

— Mais… ? insista Jessica.

— Mais… n'oublie pas de porter des sous-vêtements propres !

Elle m'observa d'un air sceptique.

— Merci du conseil.

— Je dois avouer que je suis surprise que tu aies dit « oui ».

Haussant les épaules, elle ôta une bouloche du tissu de la chaise. Elle ne tenait pas en place ce soir.

— Je ne sais pas trop. J'aime vivre avec vous ici, mais l'excitation d'être la meilleure amie de la reine des vampires ne réchauffe pas mon lit la nuit. Quand j'y suis en tout cas, puisqu'on passe toujours notre temps à cavaler dans tous les sens. Bref. Tu vois ce que je veux dire.

— Évidemment ! J'espère que ça va marcher entre vous.

— Avec Sinclair pour m'aider, comment est-ce qu'il pourrait en être autrement ?

— Je sais, j'en ai encore la chair de poule.

— Ton mec sent la métrosexualité sinistre à plein nez, acquiesça-t-elle. Il ne peut pas le nier.

— C'est une façon de voir les choses. Ah ! J'allais oublier : j'ai un nouveau boulot. Je vais écrire une rubrique pour la newsletter des vampires.

— Pardon ?

— Dingue, non ? (Me laissant tomber sur le lit, je posai le menton dans le creux de ma main, façon soirée pyjama-potins.) Tu y crois, toi ? C'est tellement pragmatique, venant de la part des vampires. Pour une fois qu'ils ne font rien qui mène à des décapitations ou des massacres d'innocents !

— Peut-être, suggéra-t-elle, qu'il s'agit d'une newsletter maléfique ?

— Génial. Comme si je n'avais pas assez de soucis comme ça. Ce qui me rappelle que...

On frappa timidement à ma porte. Je savais parfaitement de qui il s'agissait.

— Entre, Jon !

— Oooooh ! s'écria Jessica sans me regarder. J'ai oublié de te demander comment avait réagi Sinclair en apprenant qu'il avait un nouveau colocataire.

— Ce n'était pas beau à voir, marmonnai-je. Salut, Jon ! Tu tombes bien. On allait tous se coucher.

— Oui... pour tout te dire, je viens de me réveiller. C'est le seul moment de la journée où nos emplois du temps coïncident.

— Comme c'est intéressant, susurra Jessica d'une voix mielleuse, tu l'as déjà remarqué alors que tu n'es là que depuis... quand ? Hier soir ?

Debout devant ma porte, il se dandinait nerveusement, l'air mal à l'aise – et adorable.

— Ce n'est pas tout à fait le seul moment, reprit-il. Comme on est en hiver, je serai encore réveillé lorsque le soleil se couchera et...

— Jon ! Ma copine doit se préparer pour aller au lit et son fiancé sera là dans une minute. Qu'est-ce que tu veux ?

Ce n'était pas la première fois que Jessica me donnait l'impression de ne pas apprécier Jon.

— Je... euh, comme je serai en ville, j'ai eu une idée. En fait, je l'ai eue à l'école. Je suis un cours d'écriture à la fac...

— Ça te servira beaucoup à la ferme.

— Jessica ! hoquetai-je. (Qu'est-ce qu'elle avait contre les fermiers, à la fin ?) Continue, Jon. On est tout ouïe.

Je lançai un regard noir à Jess pour appuyer mon commentaire.

— OK. J'allais à la fac l'année dernière, mais j'ai arrêté pour rentrer à la maison.

— Ça, on le sait déjà..., le pressa Jessica en lui faisant signe de se dépêcher.

— Donc, aujourd'hui, je me suis réinscrit. Et un de mes nouveaux cours... L'année dernière, je suivais un séminaire qui s'appelait « Goûter à l'écriture », et cette année, je veux me concentrer sur la bio.

— Logie ou graphie ? demandai-je sans comprendre où il voulait en venir.

— Biographie.

— Tu écris l'histoire de ta vie ? demandai-je d'un air enjoué. (Génial ! Enfin quelque chose pour l'occuper et le tenir éloigné de moi. Et lui éviter d'agacer Sinclair...) Quelle bonne idée, Jon ! Tu as déjà une vie incroyable alors que tu as quoi ? Quinze ans ?

— Vingt, me corrigea-t-il sèchement. Une biographie est un livre que l'on écrit sur quelqu'un d'autre.

— Oups ! marmonna Jessica.

— Oh ! Dans ce cas... Oh ! Euh... (Clignant rapidement des yeux, je tentai d'empêcher ma mâchoire de tomber.) C'est euh... très flatteur.

— Ce serait un projet du tonnerre !

— Jon... Tu ne peux pas écrire sur elle et montrer ton devoir à tes petits camarades. On essaie de passer inaperçus, je te signale.

— Je le sais bien, répondit-il avec un entrain qui faisait peine à voir. J'en ai déjà parlé à mon prof...

— Tu as quoi ? m'écriai-je en même temps que Jessica.

— Je lui ai déjà dit qu'il s'agirait de fiction. Une histoire inventée de toutes pièces à propos d'un personnage qui n'existe pas. Il a adoré l'idée.

Alors, il passe à côté de l'intérêt du cours... pensai-je, sans faire aucune remarque pour autant.

— Franchement ! Qui y croirait, de toute façon ? « Je vais vous raconter l'histoire d'une vampire qui vit entre Minneapolis et Saint Paul. » Bien sûr que mon prof a pensé que c'était de la fiction, ajouta-t-il fièrement. Il a hâte de lire mon devoir ! Il m'a dit qu'en vingt ans, personne n'avait eu une idée pareille.

— Toi non plus, je te signale !

Passant outre à cette remarque, Jon se tourna vers moi.

— Alors, est-ce que tu veux bien le faire ?

— Faire quoi au juste ?

— Me raconter l'histoire de ta vie.

J'ouvris la bouche.

— Pas question, répondit Jessica à ma place. Bets, je te rends le plus grand service de toute ta vie, je t'assure. Je suis en train de t'éviter des tonnes d'ennuis. Je te sauve des gens normaux. Tu le sais. Pas question !

Jon lui adressa un regard assassin.

— Ce n'est pas à toi de décider.

— Tu ne dois pas aller faire la vidange d'une moissonneuse-batteuse ?

— Tu ne dois pas présider un gala de charité ?

— Ça suffit, vous deux ! rétorquai-je automatiquement pendant que je réfléchissais.

Je savais très bien où voulait en venir Jessica. Elle essayait de me faire comprendre que Sinclair allait se mettre en rogne. Un peu comme lorsque j'avais mentionné le fait que Jon allait habiter avec nous. Sa réaction ne pourrait pas être bien pire que ça.

Cette fois, Sinclair n'en aurait rien à faire. Il devait s'occuper d'affaires bien plus importantes que les devoirs de Jon. Franchement, avec des vampires comme Marjorie en ville, j'étais même surprise qu'il remarque sa présence.

Jon semblait tellement plein d'espoir… si adorable, et mignon avec son jean froissé et son tee-shirt jaune « Luke, je ne suis pas ton père ». Sans parler de ses pieds nus ! Il ne lui manquait plus que des brins de paille dans les cheveux pour compléter le tableau.

— Eh bieeeeeeeeeeen…

— Pas question !

— On pourrait peut-être essayer, répondis-je. Pour voir ce que ça donne. Juste quelques chapitres.

— Noooooooooooooooooon ! s'égosilla Jessica.

C'est le moment que choisit Sinclair pour entrer en scène.

— Qu'est-ce qui se passe ici ?

Chapitre 16

— Jon veut…

— Ma question était purement rhétorique. J'ai entendu toute la conversation en montant l'escalier jusqu'ici, dit Sinclair en déboulant dans la pièce.

Arrivé à la hauteur de Jon, il posa une main sur le visage du jeune homme et le poussa vivement en arrière. Jessica eut à peine le temps de se précipiter vers la porte et de l'ouvrir avant que Jon passe au travers. Elle se retourna légèrement vers Éric.

— Bonne nuit, vous deux, glissa-t-elle avant de s'éclipser, à une vitesse un peu plus digne que celle de son prédécesseur.

— Sinclair ! m'exclamai-je d'un air agacé. Tu n'as aucun droit de maltraiter mes amis de cette façon. Après, ne t'étonne pas s'il pense que je ne devrais pas t'épouser.

— Je sais exactement pourquoi il pense que je ne devrais pas t'épouser.

Me tournant le dos, il se tenait devant les étagères remplies de CD, que j'avais surnommées le « mur du son ». Il dormait ici depuis quelques mois déjà, pourtant, il n'avait toujours pas déménagé ses affaires. Tous ses costumes, ses sous-vêtements et ses produits de toilette – si un vampire en avait vraiment besoin – se trouvaient dans sa chambre au bout du couloir.

Pourquoi ne m'étais-je jamais inquiétée à ce sujet auparavant ? Pourquoi n'avais-je jamais remarqué qu'il venait seulement ici pour le sexe ? Contrairement à moi, Sinclair pouvait rester éveillé durant la journée du moment qu'il se tenait éloigné de la lumière du soleil. Comparée à nos disputes incessantes et à la frustration sexuelle qui allait avec, notre nouvelle situation était plus agréable, bien sûr. Mais avec le mariage qui approchait, j'avais pensé que nous partagerions une chambre et pas seulement un lit.

Ce n'était pas la première fois que je me faisais des idées à propos d'Éric. Et que j'avais tort.

Toutefois, mieux valait commencer par le pire.

— Tu agis vraiment comme un gros gamin. Tout ça parce que tu ne supportes pas qu'il puisse habiter avec nous pendant quelque temps…

— Ce n'est pas un motel, ici.

— Dixit l'une des personnes qui n'a rien payé pour emménager. Sans me demander mon avis en plus. Moi, au moins, j'ai vendu mon ancienne maison pour payer l'apport.

— C'est infantile de ta part de comparer les deux situations, répondit-il d'un air dédaigneux. Je suis le roi. Je n'ai fait qu'emménager dans une demeure qui convenait à ma reine. Jon te renifle le derrière comme un taureau lâché dans un champ !

Mince, il était vraiment en colère ! Les métaphores fermières survenaient seulement lorsqu'il était fou de rage.

— Éric ! Il a douze ans de moins que moi ! Je ne sortirai jamais avec quelqu'un comme lui.

Quand il me fit face, je ne pus m'empêcher d'admirer sa tenue pour la nuit : bas de pyjama en soie noire. Et rien d'autre. J'aurais aimé qu'on arrête de se disputer pour pouvoir vérifier si ses tétons étaient aussi délicieux qu'ils en avaient l'air.

— Tu as soixante ans de moins que moi.

Les tétons attendraient !

— Quoi ?

— J'ai dit : tu as soixante ans de moins que moi.

— Qu... Mais...

J'avoue que je ne pensais plus en ces termes, désormais. Je le faisais au tout début, quand j'étais une jeune vampire et que j'avais dû choisir entre Nostro et Sinclair, mais depuis que j'avais pris ma décision, je n'y avais plus pensé.

À moins que Sinclair n'essayât de me poser un nouvel ultimatum...

— Écoute Éric, tu agis vraiment... (J'agitai les mains en cherchant mes mots.) bizarrement ! Pourquoi est-ce que tu te comportes de cette façon ? C'est toi que j'aime. Ni Jon ni Nick.

Il plissa les paupières.

— Qu'est-ce que Nick a à voir dans cette affaire ?

— Je dis ça comme ça. Tout le monde est tellement préoccupé par ma vie sentimentale que personne n'écoute ce que je raconte ou ce que je veux vraiment. Peu importe le nombre d'Ailes ou de flics qui vivent ici, ça ne changera jamais ce que je ressens pour toi. J'ai fait mon choix. Tu es celui avec lequel je veux vivre. Toi ! Le gars le plus sournois, le plus inquiétant et le plus sexy que j'aie jamais connu.

Il sembla se détendre.

— Je suppose que je peux prendre ça comme un compliment.

— Je me fous de la façon dont tu le prends : contente-toi d'être plus gentil avec Jon. Arrête de le pousser, ça ne fait que montrer à tout le monde ton – je n'arrive pas à croire que j'utilise ces termes pour parler de toi – manque d'assurance.

— Voilà qui décrit à merveille la raison pour laquelle je n'ai pas encore mentionné ton pyjama.

— Quoi ? fis-je en écartant les bras comme Jésus Christ sur la croix. Tu crois que je porte ça parce que je manque d'assurance ? Faut arrêter la drogue ! Tu ne trouves pas que les pois mettent mes mèches en valeur ?

Tout sourires, il faillit faire une remarque avant de se reprendre et de se tourner de nouveau vers le mur du son.

— Pourquoi ne l'avais-je jamais vu avant aujourd'hui ? demanda-t-il.

Comme la dispute semblait être terminée, je retins toute réplique cinglante. Pourtant, Dieu sait que j'en avais des salées à l'esprit, comme : « Si tu venais ici pour autre chose que la baise, tu remarquerais peut-être quelques détails intéressants ! »

— *Le Meilleur des années 1980*, *Cindy Lauper*, lut-il en passant en revue les étagères de CD. *Best Of Duran Duran. Les plus grands tubes dance des années 1980. Encore plus d'années 1980. Madonna : True Blue. The Pet Shop Boys. The Beastie Boys.*

— Quoi ? J'ai des goûts éclectiques !

— Éclectiques… J'avoue que ce n'est pas le premier terme qui m'est venu à l'esprit.

— Ne me dis pas que tu fais partie de ces snobs de la musique !

Bien sûr qu'il l'était : il n'y avait rien d'autre dans sa voiture que du Rachmaninov.

— Non, non. Tu vas devoir renoncer au mariage.

— Quoi ?!

— J'ai dit : tu vas devoir renoncer aux pois rouges.

— Oh ! (Satanées oreilles de vampires ! Mon ouïe était parfois parfaite, parfois désastreuse.) Tu veux m'emprunter… ?

— Surtout pas !

— OK, j'ai compris ! Pas la peine de crier, râlai-je en déboutonnant mon haut de pyjama d'un air renfrogné. Et arrête de pousser Jon à bout. Arrête de le pousser, tout court. Qu'est-ce que tu dirais s'il mettait ses grosses pattes de fermier sur ton visage, hein ?

— Oh ! J'adorerais ça…, répondit Sinclair avec une sincérité effrayante.

— Est-ce que c'est l'odeur d'une chèvre en décomposition que je sens ? Ou celle de ta testostérone ? Il faut vraiment que tu te calmes. Tu sembles oublier le plus important. Je suis avec toi, pas vrai ? Je ne vais pas chez Nick et je ne grimpe pas dans le lit de Jon… Tiens, je viens de me rendre compte que tu ne te fais jamais de souci par rapport à Marc.

— Tu plaisantes, j'espère ? Je m'inquiéterais plus au sujet de Marc si nous faisions la même taille de vêtements.

Hmm, pas faux ! Continuons.

— Et si mes super pouvoirs de vampire me permettaient de rendre les gays hétéros ? Ça n'a pas l'air de te faire peur.

— Non, admit-il en s'asseyant sur le lit et en tapant des doigts sur son genou. Ça ne m'inquiète pas du tout.

— Si tu le dis.

— En revanche, tu mets beaucoup trop de temps pour te déshabiller.

— Et je ne suis pas dans le lit de l'Aile. Je ne sais même pas où il se trouve, d'ailleurs…

— Premier étage. Troisième porte à droite.

— Tu vois ? C'est moi qui devrais m'inquiéter que tu me trompes avec lui. Tu es obsédé.

— Possessif, rétorqua-t-il. Ce n'est pas la même chose.

— C'est avec toi que je veux être. Je croyais que c'était clair depuis octobre.

Je secouai les bras, mais comme je me déshabillais en même temps, je dus avoir l'air d'un épouvantail.

— C'est ta voix que j'entends dans ma tête, et celle de personne d'autre. Ça devrait suffire à te convaincre que tu n'as pas de souci à te faire.

— Quoi ?!

Et merde !

Chapitre 17

— Surtout ne panique pas.

Comment avais-je pu être aussi stupide ? Je n'avais pas eu l'intention de le lui apprendre de cette façon. Je pensais plutôt lui préparer un gâteau avec « Je t'entends dans ma tête, chéri ! » écrit dessus. Pour la Saint-Valentin, peut-être. D'ici à vingt ans.

— Qu'est-ce que tu as dit ?

— OK, laisse-moi t'expliquer.

Je me précipitai à ses côtés pour m'asseoir sur mon – notre ! – lit et passai un bras autour de sa taille. J'avais l'impression de me serrer contre le grand chêne dans le jardin de derrière.

— Quand on fait l'amour, j'entends tes pensées. Dans ma tête.

Aucune réaction. Il resta raide comme un piquet. Je le serrai davantage contre moi.

— Et ça fait des mois que j'essaie de trouver un moyen de te le dire, mais ce n'est jamais le bon moment. En te voyant aussi déstabilisé et, euh, inquiet à propos de notre invité, j'ai pensé que c'était le bon moment de te prouver mon amour et à quel point nous sommes faits l'un pour l'autre… Parce que, que ce soit dans ma vie ou dans ma mort, je n'ai jamais entendu personne d'autre dans mon esprit, pas une seule fois.

Il se raidit encore plus.

— Tu m'entends ? Dans ton esprit ? demanda-t-il posément.

— Oui. Mais seulement pendant qu'on fait l'amour. Jamais avant ni après. Par exemple, je n'ai aucune idée de ce que tu penses à cet instant. Même si je peux le deviner.

— Oserais-je te demander depuis combien de temps ?

— Depuis l'épisode de la piscine, notre première fois. Jusqu'à… tout à l'heure. Dans le salon après le départ de Margaret.

— Marjorie, me corrigea-t-il automatiquement.

Il prit mes mains dans les siennes pour se dégager et me repoussa.

— Ne te fâche pas, lançai-je.

C'était probablement la pire réplique de l'histoire des disputes de couple, juste avant : « Elle ne représente rien pour moi. »

Il disparut.

Alors, je demeurai assise à contempler la porte ouverte. Je savais qu'il le prendrait mal et je n'avais pas choisi la meilleure façon de le lui annoncer. Au moins, je ne lui avais pas avoué pour le faire souffrir. Néanmoins, je ne l'avais pas préparé à une telle révélation. Et voilà qu'il était parti.

Il fallait que je me reprenne. Pas question de rester assise sur mon lit à attendre qu'il revienne me crier dessus ou, mieux, me jette un buffet à la figure. Sautant sur mes pieds, je courus vers la porte où je m'écrasai contre Sinclair qui était déjà de retour. Sous l'impact, je tombai par terre comme une crêpe qu'on retourne.

— Putain ! hoquetai-je. Tu te déplaces à la vitesse de la lumière, ou quoi ?

— Le moment est mal choisi pour ton humour douteux, rétorqua-t-il.

Il m'enjamba – sans même m'aider à me relever ! – et balança sur le lit un gros truc qui fit un nuage de poussière.

Quand je compris qu'il s'agissait du *Livre des Morts*, j'en fus horrifiée.

— Enlève ce machin de mes draps tout de suite ! lui ordonnai-je. Je les ai achetés la semaine dernière. Ils sont en flanelle !

Faisant la sourde oreille, il se pencha sur le *Livre* et le feuilleta. Enfin – un miracle quand on sait qu'il n'existe pas de sommaire ou d'index –, il trouva la page dégoûtante et puante qu'il cherchait, se redressa et me la montra du doigt.

— Quoi ? Tu veux que je… Pas question ! Je ne le lirai plus jamais… Hé ! (Il avait traversé la pièce en un clin d'œil pour m'attraper par le bras et me traîner vers le livre.) D'accord, d'accord. Doucement, tu veux ? Mon pyjama est neuf, lui aussi !

Je me penchai alors sur cet horrible, affreux objet écrit avec du sang par un vampire complètement fou qui pouvait voir le futur. Personne n'avait corrigé l'orthographe de l'ouvrage. Ça rendait les choses plus excitantes.

— Bon, d'accord. Ce passage-là ? Alors : « La Reyne reconnoîtra les morts, sans exception, et ils ne pourront se cacher d'elle, ni lui dissimuler le moindre secret. » (Je me levai.) Voilà ! Je ne vois pas le problème. On l'a compris lorsqu'on s'est rendu compte que j'étais la seule à voir les fantômes.

— Continue.

— Éric…

— Lis.

Je me remis aussitôt à mes devoirs de l'enfer.

— « Elle connoîtra le Roy et tous ses désirs pendant toute la durée de leur règne sur les morts et le Roy connoîtra les siens. » Voilà ! Tu es soulagé ? (*Mon Dieu, par pitié : plus de lecture pour ce soir !*) Tu vois ? Je connais tes désirs et tu connais les miens. Et... tout ceci est lourd de sens parce que...

— Comme tu dis. Tu peux lire dans mes pensées durant... nos moments intimes.

— Oui, répondis-je en hochant la tête. Je te l'ai déjà dit. Tu te rappelles ? Je te l'ai dit, je n'en ai pas fait un secret !

Seulement pendant huit mois ! Oh ! ta gueule, ma conscience !

— Je suis incapable de lire les tiennes, fit-il remarquer.

— Je m'en suis rendu compte, avouai-je. J'ai essayé de, euh, te faire réagir une ou deux fois. Mais je n'ai jamais réussi.

Il me dévisageait. Je connaissais ce regard pénétrant et distant à la fois. Derrière ses yeux noirs, son esprit tournait à cent à l'heure.

— Éric...

Il recula.

— Je comprends que tu sois en colère. Je ne t'en veux pas : tu ne l'as pas appris de la meilleure des façons. Mais je savais que tu le prendrais comme ça ! C'est pour ça que j'avais tellement peur de t'en parler !

La pire excuse au monde !

— Je ne suis pas en colère, répondit-il.

— Éric, c'est avec toi que je veux être.

— Le *Livre* affirme le contraire.

— Putain ! On est ensemble depuis deux mois à peine et on ne se connaît que depuis avril. Laisse-moi le temps de connoître tes désirs. Et toi aussi, tu as besoin de temps pour connoître – connaître – les miens. Ce n'est pas parce que tu ne peux pas, tu sais... Ce n'est pas parce que tu ne peux pas le faire maintenant que ça prouve quoi que ce soit. Je suis désolée, d'accord ? Je suis désolée de ne rien t'avoir dit. Je le voulais vraiment.

— Je comprends pourquoi tu en étais incapable, lâcha-t-il avec une distance effrayante dans la voix.

— Éric, c'est toi que je vais épouser !

— Tu ne cesses de repousser la date du mariage. Peut-être as-tu compris que nous n'avions pas les mêmes valeurs ? Et comme tu es une pauvresse au cœur tendre, je n'ai aucun problème à imaginer ton incapacité à m'annoncer en face que tes sentiments avaient changé.

— Ça n'a rien à voir ! m'exclamai-je d'une voix aiguë. Oh ! mon Dieu ! Tu m'as traitée de pauvresse ?

Et par conséquent de lâche ? Il se servait de cette histoire de télépathie pour reporter le mariage ? Ah ! les hommes !

— Qu'est-ce qui t'a permis d'arriver à une telle conclusion ?

— Non, tu as raison. C'est une simple coïncidence.

— Je suis simplement très mal organisée, crétin ! Ça n'a rien de personnel. Tu vois ? Tu vois ? C'est pour ça que je ne voulais pas te le dire ! Je savais que tu paniquerais et que tu te mettrais en colère.

— Je ne suis pas en colère, répondit-il posément.

Pour être franche, il n'avait pas la voix de quelqu'un qui l'était. En fait, son expression ne me donnait aucun indice sur ce qu'il ressentait. Je ne savais pas si je devais me jeter sur lui pour le prendre dans mes bras ou sauter par la fenêtre et m'échapper le plus loin possible. Les deux mètres qui nous séparaient ressemblaient à un trou béant ; j'avais l'impression de me trouver au bord d'un précipice.

— Je suis simplement… surpris.

Un menteur, voilà ce qu'il était. Enfin, je reconnus l'émotion qu'il dégageait. Comme je ne l'avais jamais vue sur son visage, je ne l'avais pas identifiée tout de suite… C'était de la peur.

Pas pour moi. Celle-là, j'en avais été témoin des centaines de fois. Non, il s'agissait d'autre chose.

Cette fois, il avait peur de moi.

Chapitre 18

Chère Betsy,

Je suis un nouveau vampire – j'ai été attaqué et tué par un autre vampire lors du voyage de classe de terminale, il y a huit ans – et je ne suis pas sûr de comprendre le protocole d'aujourd'hui. Les choses étaient différentes sous le règne de Nostro et je ne sais pas comment agir avec vous. Il y a une fille dans ma vie que je vois de temps en temps. Elle me laisse la mordre, mais elle est persuadée que ça fait partie d'un jeu. Parfois, je me fais d'autres amies et je les mords à une ou deux reprises. C'est très difficile parce que je dois me nourrir tous les jours, mais je ne veux tuer personne. Est-ce que vous auriez un conseil à me donner ?

Le Mâchouilleur de Chaska

Cher Mâchouilleur,

Tu es sur la bonne voie : ne tue jamais personne si tu peux l'éviter. Ce n'est pas leur faute s'ils sont vivants, ni la tienne si tu es mort. Pour ma part, j'essaie de mordre des méchants. Tu sais, le genre de type qui veut m'emmener dans une allée sombre pour rencontrer son pote, ou qui force une voiture… des gens comme ça. Ainsi, j'ai l'impression de les punir pour les crimes qu'ils commettent, et en même temps, je me nourris. Essaie ma méthode et vois si ça marche pour toi.

Si, un jour, tu rencontres une personne chère à ton cœur, tu pourras peut-être lui avouer ton secret et elle acceptera de t'aider. De plus, en vieillissant, tu n'auras plus besoin de te nourrir autant. Alors reprends courage! Tu en verras le bout.

— Ce n'est pas mal, dit Jessica. Comme la newsletter vient de commencer, je suppose que tu as dû inventer la première question ?

— Oui.

— Bientôt, tu recevras de vraies lettres, ne t'en fais pas ! Pour un début, c'est plutôt bien.

J'éclatai en sanglots.

— Oh ! mince ! s'exclama Jessica en posant la feuille de papier pour se précipiter vers moi. Je ne savais pas que tu étais aussi sensible à ce sujet ! Pour une première fois, c'est vraiment réussi. Tu donnes beaucoup de... beaucoup de bons conseils.

— Sinclair ne partage plus ma chambre, me plaignis-je.

— En même temps, il n'y avait pas vraiment emménagé, ma chérie.

Mes pleurs redoublèrent.

— Je ne voulais pas dire ça. Vous vous êtes disputés ?

— C'était horrible. La pire dispute de toutes.

— Pire que lorsque tu pensais qu'il draguait ta sœur ?

— J'aurais préféré qu'il ne s'agisse que de ça, hoquetai-je.

— OK, est-ce que tu peux m'en parler ?

— Non, me lamentai-je.

L'humiliation de Sinclair était encore fraîche. Pas question de faire passer le mot.

Jessica me versa une tasse de thé – nous nous trouvions dans la cuisine – avant de se rasseoir près de moi. Ma lettre peu convaincante reposait sur la table entre nous. Il fallait que je trouve quelque chose, n'importe quoi, pour ne pas penser à notre dispute, d'où ma rubrique *Chère Betsy.*

— Tu as fait quelque chose de mal, ma chérie ?

— Je ne crois pas. Je pensais que c'était une bonne chose. La preuve d'une bonne chose, en tout cas. Mais il n'est pas d'accord. Alors, il est parti. Ça fait déjà deux nuits et il n'est toujours pas revenu. Je ne l'ai même pas croisé dans la maison. Je vois davantage George le monstre que mon propre fiancé.

— OK... Rassure-moi, tu ne t'amuses pas à tuer des petits scouts ou un truc dans le genre ?

Je secouai la tête.

— Rien à voir.

— Et tu n'as pas lu *le Livre*... Betsy ! s'écria-t-elle en me voyant légèrement hocher la tête. Ne me dis pas que tu es de nouveau maléfique ?

— Si seulement ! J'ai simplement lu un passage qu'il voulait me montrer pour appuyer son argumentation. Après, il l'a refermé et il est parti avec.

— Bon... Est-ce que c'est un truc pour lequel tu peux t'excuser ?

— Non, je ne crois pas. De toute façon, je me suis déjà excusée. Mais nous étions vraiment en colère tous les deux. Je ne sais pas s'il m'a entendue. J'ai gardé le secret pendant très longtemps, alors je suppose que je peux lui répéter que je suis désolée de ne pas lui avoir en avoir parlé tout de suite.

— C'est un début, pas vrai ?

— Il a peur de moi, maintenant, murmurai-je.

Jessica éclata de rire, si fort qu'elle frappa la table du plat de la main.

— Peur ? Sinclair ? De toi ? (« Bam ! Bam ! ») Elle est bien bonne celle-là ! (Elle soupira en se frottant les yeux.) Répète-moi ça : j'avais vraiment besoin d'une tranche de rigolade.

Je lui adressai un regard noir.

— Je suis sérieuse, Jessica. Ce que je lui ai dit lui a fait peur. Jusqu'à présent, il voyait d'un bon œil que je puisse faire des choses dont les autres vampires étaient incapables…

— Et n'oublie pas qu'il n'hésitait pas à s'en servir pour arriver à ses fins, fit-elle remarquer.

Ses joues brillaient encore des larmes qu'elle avait versées en riant.

— Oui, je sais. Mais il n'avait jamais eu, tu sais, peur des choses que je pouvais faire. Il était simplement… impressionné. Il approuvait mes pouvoirs, et que je tue Nostro et Machine, là… Monique. Il a même adoré apprendre que la mère de ma sœur était le diable. Mais c'est la première fois qu'il a peur de moi. Je te le jure. Je ne plaisante vraiment pas.

— Si je comprends bien, cette chose, peu importe de quoi il s'agit, l'a terrifié.

Me frottant les yeux – par habitude seulement, je ne versais plus de véritables larmes –, je hochai la tête.

— Alors, tu vas t'excuser auprès de lui pour ne pas lui en avoir parlé plutôt, et après, tu devras attendre qu'il s'en remette.

— Attendre ?

— Ma puce, tu l'as bien regardé ? Est-ce qu'il a l'air d'être le genre d'homme qui a peur de quoi que ce soit ?

Surtout de sa petite amie ? Il a besoin de temps pour s'habituer à cette idée.

— Combien de temps ?

— Quelle importance ? Vous êtes immortels, me rappela-t-elle.

— Mais… et le mariage ? Il faut qu'on l'organise. Je ne peux pas m'en occuper toute seule.

— Dans ce cas, recule encore la date.

— Je ne peux pas ! m'exclamai-je, horrifiée. Impossible. Il est persuadé que… Peu importe. Je ne peux pas l'annuler. Au contraire, je vais passer à la vitesse supérieure.

— Tu es certaine que cette chose que tu as faite n'est pas maléfique ? Mais non, suis-je bête : on parle de Sinclair. Le mal ne lui fait pas peur. Ça l'excite, au plus profond de lui-même.

— Crois-moi, ça n'a rien de maléfique.

Elizabeth Ô Elizabeth… tu es douce comme le vin, tu es… tout. Je t'aime, il n'y a personne d'autre. Personne. Je n'allais certainement pas entendre ces mots de sitôt. Alors autant m'habituer aux rediffusions mentales.

— C'est carrément l'inverse. Je pensais que… c'était merveilleux. Mais lui, il…

Je pleurai encore plus. Ce n'était pas très cool, mais je ne pouvais pas m'en empêcher. J'étais persuadée que Sinclair était la personne sur laquelle je pouvais le plus compter en ce monde, peu importait ce qui se passerait…

— Rassure-moi, il est toujours là ? m'enquis-je en m'emparant d'un mouchoir, toujours sous le coup de l'habitude. Dans la maison, je veux dire. Il n'a pas déménagé ?

— Pas que je sache, ma chérie. Il a probablement battu en retraite vers son ancienne chambre, le temps de mettre de l'ordre dans ses idées. (Quand je baissai la tête, Jessica passa la main dans les mèches de cheveux qui tombaient devant mon visage.) Pauvre Bets ! Si ce n'est pas une chose, c'est l'autre. Tu veux que je reste avec toi ce soir ?

— Oui, on pourrait... Ah non !

— Tu m'en vois flattée, marmonna-t-elle.

— Non, je veux dire... Ce soir, c'est le grand soir. Tu sors avec Nick. Tu ne peux pas rater ça.

— Je peux toujours reporter, répondit-elle d'une voix douce.

— Mon cul !

— Ah non ! Ça, ce n'est pas sur mon agenda, lança-t-elle gaiement. Tu sais, il m'a peut-être invitée parce que tu es prise...

— Je suis prise ? rétorquai-je.

— Mais il est hors de question qu'on parle de ton cul. Ou de tes seins, ou de ta personnalité étincelante... qui, il faut l'admettre, n'est pas si terrible à l'heure qu'il est.

Sa façon de me taquiner me fit sourire légèrement.

— Tu ne reportes pas. Tu y vas. Point final. Je trouverai bien quelque chose pour m'occuper.

Au même moment, les portes battantes à l'autre bout de la cuisine s'ouvrirent pour révéler Jon qui entra dans la pièce comme le plus jeune cow-boy du monde.

— Alors ? Prête à me raconter l'histoire de ta vie ? demanda-t-il en agitant son smartphone.

— Bon, fit Jessica en se levant de son siège, si cette chose que tu as faite était maléfique – mais je ne dis pas qu'elle l'était, je te fais confiance –, tu vas en payer le prix maintenant.

Chapitre 19

— Est-ce que tu as… euh… vu Sinclair dans le coin ce soir ?

Jon renifla d'un air dédaigneux.

— Pas vraiment. On reste le plus loin possible l'un de l'autre. J'ai cru comprendre qu'il n'était pas fou de joie à l'idée que je vive ici.

— Ce n'est pas sa maison, à ce que je sache, rétorquai-je. (*Bien, Betsy ! Défoule-toi sur le gamin parce que ton fiancé refuse de te parler.*) Désolée. Je suis de mauvaise humeur ce soir.

— Parce que tu ne t'es pas nourrie ? demanda-t-il, plein d'espoir.

Il avait ouvert son smartphone de façon à pouvoir taper sur le petit clavier.

— Non, je m'en occuperai une autre fois. Écoute, Jon, si j'accepte de te rendre ce service, il faut que tu fasses quelque chose pour moi en contrepartie.

— Je comprends très bien, Betsy.

Il jeta un coup d'œil autour de nous : nous étions seuls dans l'immense salon. Nous nous y étions réfugiés après avoir été chassés de la cuisine par la gouvernante de retour du supermarché.

— Je, euh… n'approuve pas ce, euh… ce genre de choses, mais comme tu es… Je veux bien faire une exception pour toi. (Il retira courageusement son tee-shirt en s'approchant de moi.) Et puis, ça fera bien dans le livre.

— Beurk ! Non ! (Quand je le repoussai, il vola par-dessus le canapé et retomba sur le tapis. Sa chute souleva de la poussière. Il toussa. Je paniquai.) Pardon, pardon, pardon ! m'écriai-je en me dépêchant de contourner les meubles pour l'aider à se relever. Je ne voulais pas te pousser si fort.

— Pas grave, hoqueta-t-il entre deux quintes de toux. Ma faute.

— Non, c'est la mienne. Je n'aurais pas dû rester aussi évasive. Non, j'ai bien peur que la faveur que j'ai en tête soit bien pire que me laisser boire ton sang.

— Peu importe de quoi il s'agit, répondit-il en s'étouffant. Je le ferai. Mais avant ça, tu ferais mieux d'appeler quelqu'un avec un aspirateur… le plus vite possible.

— Tu sais à qui tu parles, là ? Je ne pourrais pas trouver un aspirateur même si tu appuyais un revolver contre ma tempe. Ce que tu as déjà fait, je te rappelle.

Le rouge aux joues, il s'assit sur un fauteuil face à moi.

— Tout ça, c'est du passé.

— Et la communauté vampirique t'en est reconnaissante, je t'assure.

— On est censés parler de toi. Pourquoi ne commences-tu pas par le début ?

— Alors… Je suis née dans une petite ville du Minnesota appelée Cannon Falls. J'y suis allée à l'école primaire. Mme Schultz était mon instit préférée. On a déménagé à Burnsville quand j'avais…

— Stop ! m'interrompit-il. Je voulais dire le début de ta vie vampirique.

— Oh ! Alors ça va être une biographie très courte. Il ne m'est pas encore arrivé grand-chose, après tout. En tant que vampire, je veux dire.

Il leva les yeux au ciel.

— Betsy, je t'apprécie vraiment. Tu es gentille et tout… mais qu'est-ce que tu peux dire comme conneries !

— Ce n'est pas vrai ! Ça ne fait même pas un an que je suis un vampire alors que j'ai été humaine pendant… au moins vingt-cinq ans. Pour tout te dire, l'élection de Miss Burnsville a été bien plus stressante que la politique vampirique.

— Tu m'en parleras plus tard, si j'ai besoin de meubler, me promit-il, mais je savais très bien qu'il me mentait. Rentrons dans le vif du sujet.

Je soupirai.

— D'accord, d'accord. Le vif du sujet. Alors, je suppose qu'il faut que je commence par le dernier jour de ma vie… Autant te le dire tout de suite : ça craint. En fait, le jour de ma mort avait mal commencé et a empiré dans la foulée…

Chapitre 20

— Et alors, tu as sauté du toit de la morgue et t'es fait rouler dessus par un camion-poubelle.

— Jon, pas la peine de me raconter l'histoire : je la connais déjà.

Il rit.

— C'est trop fort ! Je relis pour être sûr que je n'ai rien compris de travers. Personne n'y croira jamais !

— Génial. (Nous nous trouvions dans l'entrée où j'enfilais mon manteau. Laura venait d'arriver ; elle remontait l'allée. Nous gardions Bébé Jon ensemble ce soir.) Parce que je te rappelle que tu fais semblant d'écrire la biographie d'une vampire.

— Je sais, je sais. C'est seulement la millionième fois que tu me le répètes. Voyons voir…

— Jon, je dois vraiment y aller. On peut continuer demain ?

— Bien sûr. Laisse-moi simplement vérifier que j'ai tout : tu as essayé de te noyer dans le Mississippi, de t'électrocuter, de t'empoisonner en avalant une bouteille d'eau de Javel. Puis, tu as volé un couteau de cuisine pour te poignarder avec. C'est tout ?

— Euh… (Pas question que je parle des deux violeurs que j'avais tués accidentellement.) C'est à peu près tout, oui.

Laura entra sans frapper. Ça faisait des semaines que je lui avais dit d'arrêter.

— Bonsoir, ma sœur chérie, me salua-t-elle gaiement comme chaque fois. Tu es prête ?

— Oui.

Plus que prête. J'en avais assez de raconter ma vie. On se serait crus sur le plateau d'une émission à deux balles.

— Laura, tu as déjà rencontré Jon ? Jon, je te présente ma sœur, Laura.

Son charme eut aussitôt l'effet habituel : Jon laissa tomber son smartphone, sans même s'en rendre compte. De la poussière s'infiltrait probablement dans ses petits circuits fragiles, pourtant Jon s'en moquait.

Au lieu de ça, il dévisageait ma petite sœur. Je ne pouvais pas lui en vouloir : à côté d'elle, Michelle Pfeiffer ressemblait à une vieille sorcière. Ce soir-là, elle portait des Moon Boots (Leur popularité allait et venait. Elles étaient de nouveau à la mode en ce moment. Mais ça ne changeait rien à mon opinion : je les détestais. Je n'étais pas un putain d'astronaute !), un jean noir et une grosse parka moelleuse bleu foncé qui aurait dû la faire ressembler au bonhomme Michelin mais, comme Dieu est cruel, ce n'était pas le cas.

— Tu ne m'as jamais dit que tu avais une sœur ! dit-il en examinant les yeux bleus, très bleus de Laura.

— Tu ne m'as jamais dit que tu avais un Jon, répondit-elle en gloussant.

Visiblement, elle aussi appréciait la vue.

— Je ne vous ai jamais dit que j'avais une saleté d'ulcère, non plus. Remettez-vous ! On y va Laura, sinon on va être en retard.

— Ravie de t'avoir rencontré, dit-elle en lui tendant sa mitaine.

— Enchanté, marmonna-t-il, toujours médusé.

Il avait de la chair de poule avec des bosses aussi grosses que des cerises, pourtant, il ne semblait pas remarquer qu'il se tenait devant la porte, torse nu, exposé à une température polaire.

— J'espère qu'on se reverra bientôt.

— Glouglou, répondit-il.

Ou du moins, c'est ce que je crus entendre.

— Allez, salut ! m'exclamai-je pour qu'il comprenne le message.

Je poussai pratiquement Laura sur le perron et refermai violemment derrière nous.

— Il est trop mignon ! s'extasia-t-elle sur le chemin jusqu'à la voiture. (Elle sautillait alors que je traînais des pieds.) Où est-ce que tu l'as rencontré ? Il a une petite amie ? Évidemment qu'il a une petite amie !

— Laura, ce ne serait pas l'heure de prendre tes petites boules roses ?

— Seulement si tu arrêtes de me prendre la tête, rétorqua-t-elle. (Sa main gantée vint cacher sa bouche bée.) Je suis désolée ! C'est juste que… je suis nerveuse à propos de ce soir.

— Bébé Jon ne va pas te mordre, tu sais. Il n'a pas de dents. En revanche, il risque de te vomir dessus.

— J'ai déjà fait du baby-sitting, dit-elle d'un ton enjoué. Ce ne sera pas la première fois.

— Et moi, je suis allée à des rendez-vous galants bien moins plaisants, crois-moi.

Chapitre 21

— Rentrez vite ! Il y a un assassin dans la nature ! s'écria le Thon en guise de salut.

Elle m'attrapa par le col de ma veste – c'était la première fois qu'elle me touchait depuis des années – et m'attira dans le hall d'entrée. Laura se dépêcha de me suivre avant que la porte ne se referme sur elle.

— Ce ne sont pas des assassins, lui expliquai-je en déboutonnant mon manteau, ce sont des scouts. Ils veulent simplement te vendre des couronnes de Noël et du papier cadeau.

— Très drôle, Betsy.

En fait, le Thon, elle-même, ressemblait à une couronne de Noël : elle portait une robe vert poison, qu'elle avait agrémentée d'une ceinture rouge de cinq centimètres de large, de longs faux ongles rouges et de gros anneaux rouges à ses oreilles. Son rouge à lèvres s'accordait avec sa tenue, mais son fard à paupières était aussi bleu que l'eau des Caraïbes et ses faux cils étaient tellement longs que j'avais d'abord cru qu'une paire de millepattes avait rampé jusqu'à ses yeux pour y mourir.

— Je veux parler du tueur des parkings ! insista-t-elle en aidant Laura à retirer sa doudoune. (Ma sœur avait cet effet sur les gens.) Il a encore frappé ! Il a assassiné une de mes voisines dans l'allée devant chez elle. Au départ, on a tous cru qu'elle avait quitté son mari, vous savez…

(Le Thon mima l'alcoolisme de ce geste universel avec le pouce et l'index.) Mais son corps a été retrouvé sur le parking du *Wal-Mart* de Lake Street. Lake Street ! Vous imaginez ? Quelle faute de goût !

— Euh… fut la seule réponse que Laura parvint à articuler.

Le Thon réussissait même à la défaire de son extraordinaire gentillesse.

— Je suis désolée pour ta voisine, dis-je.

Je le pensais vraiment. Toutefois, je doutais que mes sentiments atteignent Anthonia puisque, visiblement, elle se souciait davantage de l'endroit où finissait le corps d'un individu plutôt que de la façon dont il avait mené sa vie.

— Elle ne demandait rien à personne, elle rentrait chez elle ou en sortait – personne ne le sait vraiment – quand il l'a attrapée. Depuis que j'ai appris ça, je suis terrifiée. Je ne sais plus quoi penser.

— Ce ne serait pas la première fois, fis-je remarquer d'une voix doucereuse.

— Alors soyez prudentes dans les environs, compris ?

Je supposai qu'elle s'adressait surtout à Laura.

— Si quelque chose vous arrivait, je ne saurais pas quoi faire.

Allant à l'encontre de tous mes instincts, je fus vraiment émue par ses paroles.

— Oh ! Anthonia ! Je ne sais pas quoi dire.

— On sera prudentes, promit Laura.

L'interphone pour bébé était posé sur le guéridon destiné aux clés de voiture. On pouvait entendre des pleurs au travers.

— Oui, s'il vous plaît, soyez prudentes. Personne d'autre ne veut garder Bébé Jon quand il est dans cet état-là.

— Enfin, Anthonia ! Il a la colique, pas la rage.

— En plus, je suis en retard.

— On est arrivées à l'heure, alors n'ose même pas insinuer que c'est notre faute. Quand est-ce qu'il a mangé ?

— La nourrice a laissé une note sur la porte du frigo, répondit-elle en enfilant son manteau de laine noire. (Ses cheveux ne bougèrent pas d'un poil… ce qui était étonnant vu qu'ils lui arrivaient aux épaules.) La soirée devrait se terminer vers 1 heure du matin.

— Où est M. Taylor ? demanda Laura.

— Oh ! Il… (Le Thon fit un geste évasif.) Ne vous inquiétez pas, si je bois trop, je prendrai un taxi.

— Dieu merci ! rétorquai-je. Si tu es trop HS, fais une sieste dans l'allée en attendant d'avoir de la compagnie.

Elle m'adressa un regard noir.

— Je suppose que tu te trouves drôle.

Je lui rendis son regard.

— Un peu, oui.

Laura se dirigea vers la cuisine tandis qu'Anthonia partait.

Pour ma part, je me rendis à l'étage pour prendre mon petit frère et le placer contre mon épaule. Là, il hoqueta de surprise et en oublia de pleurer. Mes sens affûtés de vampire me dévoilèrent qu'il n'était pas encore l'heure de lui changer sa couche.

Alors, je l'emmenai au rez-de-chaussée pour rencontrer Laura qui se tenait près du bar et lisait le mot soigneusement détaillé signé « Jennifer Clap, assistante maternelle ».

— Pourquoi est-ce qu'elle a besoin de nous, alors qu'elle a une nourrice ? demanda-t-elle avant de se tourner vers Jon en claquant la langue.

Le bébé se contenta de grogner.

— La nourrice ne travaille qu'en journée. Et mon père refuse de payer une nourrice de nuit quand le Thon passe son temps à la maison.

— M. Taylor lui a dit « non » ?

— Ça arrive de temps en temps.

Plaçant les petites fesses de Jon bien rembourrées sur mon avant-bras et sa tête contre mon épaule, j'ouvris le réfrigérateur et grimaçai. Il était rempli de lait écrémé, de laitue iceberg, de sauce soja, de margarine anti-cholestérol et de bouteilles de lait en poudre. Si j'avais été vivante, ça m'aurait fait chier. Pauvre Laura !

Et pourquoi l'appelait-elle « M. Taylor » ? Il s'agissait de son père biologique. Toutefois, personne n'était censé le savoir à part elle, moi et le diable.

La situation était compliquée et aurait même paru gentiment absurde si elle n'avait pas été terrifiante. Vous voyez, le diable avait possédé ma belle-mère pendant quelque temps. Comme personne n'avait remarqué le changement, j'y voyais la preuve que le Thon était – encore à ce jour – un être humain aux agissements douteux. Franchement, comment une telle chose est-elle seulement possible ? *Oh ! Tu es follement diabolique. Tu roules sur les passants avec ton vélo. Tu exauces des vœux maléfiques et tu encourages les gens à sauter du haut des immeubles. Rien de nouveau, en somme, hein, Anthonia ?*

Bref. Comme je le disais, la seconde femme de mon père avait été possédée par le diable pendant quelque temps. Vous avez bien lu : par le diable ! Et elle avait eu un bébé : ma sœur Laura. Puis, elle s'en était retournée en enfer.

Une fois revenue à elle, le Thon s'était retrouvée avec un bébé sur les bras et l'avait rapidement abandonné dans la salle d'attente d'un hôpital avant de reprendre son ancienne vie sans un regard en arrière.

Pour résumer – et c'est là que ça se complique –, le Thon et mon père étaient les parents biologiques de Laura. Mais Satan était sa mère. Entre-temps, Laura avait été adoptée par les Goodman (la bonne blague !) et élevée dans la banlieue de Minneapolis.

Est-ce que je vous ai parlé de ses pouvoirs diaboliques ? Comme son arc forgé dans les flammes de l'enfer ou sa capacité à manger n'importe quoi sans jamais prendre un gramme ?

Pour toutes ces raisons, ça me faisait bizarre de l'entendre appeler son père « M. Taylor » ou « le père de Betsy ». Mais comme je ne savais pas quoi dire, je laissais passer. Encore une pensée qui traînait dans mon esprit comme une guillotine mal harnachée.

— Il y a que dalle à manger, annonçai-je en refermant la porte. Comme d'habitude.

— On peut se faire livrer une pizza, suggéra-t-elle en tendant les bras.

Je lui passai le bébé.

— Ça m'est égal : je ne peux pas manger, de toute façon. C'est pour toi que je m'inquiète. Pour ma part, si je suis vraiment assoiffée, je peux toujours avaler la sauce soja. J'aime bien : c'est salé. Tu as dîné avant de venir ?

— Non, admit-elle.

— Mon Dieu, est-ce qu'on peut tomber encore plus bas ? Ne recommence pas, dis-je à l'attention du bébé qui s'était raidi dans les bras de Laura et semblait prêt à reprendre ses hurlements. J'ai soif, je fais du baby-sitting et je fouille dans le frigo pour trouver un truc à manger. Il ne manquerait plus que j'appelle mon petit copain pour qu'il vienne me peloter sur le canapé.

— Au moins, toi, tu as un copain, fit remarquer Laura avant de reporter son attention sur notre demi-frère.

Je souris d'un air aigri, mais ne relevai pas.

— Il est troooooooop mignon ! minauda Laura.

Ce soir, Bébé Jon portait un tee-shirt, une couche et d'épaisses chaussettes vertes. Il avait pris un peu de poids, mais il ressemblait toujours plus à un rat nu et enragé qu'aux bébés potelés qu'on nous montrait à la télévision.

— N'est-ce pas la chose la plus adorable que tu aies jamais vue ?

— Encore un côté effrayant de ta personnalité, Laura. Moi qui croyais avoir assisté au pire.

— Areuuuu ! répondit-elle en chatouillant le menton pointu de Jon. (Le bébé lui adressa un regard noir. Puis l'odeur de son mécontentement envahit l'air.) Oups ! On dirait que quelqu'un a besoin d'une couche propre, fit-elle en me regardant.

— Fille de Satan, rétorquai-je.

— Reine des vampires.

— D'accord, je m'en charge. Donne-le-moi.

J'entendis Jon ricaner lorsque je le pris de nouveau dans mes bras. Pourtant, à son âge, c'était impossible. Il ne riait pas vraiment, tout comme il ne nous assassinait pas vraiment du regard. C'était tout de même mignon.

Je faisais semblant de croire qu'il m'aimait alors qu'il n'aurait même pas été capable de me reconnaître dans une file d'attente. Une fois que Laura ne me vit plus, je le serrai un peu plus contre moi.

La vérité, c'était que ce genre de soirée égayait ma vie à présent. J'accourais dès que le Thon appelait. Pourquoi ? Tout simplement parce que Bébé Jon était ce qui se rapprochait le plus du bébé que je n'aurais jamais. Pas de larmes, pas de transpiration, pas de menstruation… pas d'enfants.

Jamais.

Sinclair et moi pouvions faire des tas de choses… du moins, si nous nous réconciliions rapidement. Cependant, nous ne pourrions jamais avoir d'enfants ensemble.

Jess m'avait répété des milliers de fois que je ne devrais pas dire de bêtises et qu'il y avait des millions de bébés qui cherchaient une famille à travers le monde. Marc avait appuyé son argument en nous racontant des histoires d'horreur tirées des Urgences. Elle avait raison. Ils avaient tous les deux raison et j'avais essayé de ne plus en souffrir.

Mais, à trente ans, je n'avais jamais pensé tourner le dos à ma propre maternité. C'est drôle quand on y réfléchit. Je n'avais jamais sérieusement pensé à avoir des enfants. Dans mon esprit, c'était une évidence. Puis, j'étais morte. Ironie, quand tu nous tiens !

— C'est stupide, dis-je à Bébé Jon en lui retirant sa couche sale pour la mettre de côté. (Je comptais la placer sous le lit du Thon. Elle deviendrait folle en cherchant la source de l'odeur.) Les morts ont un champ d'action assez limité. Marcher, parler, coucher. Certains se marient. D'autres n'arrêtent pas de se plaindre. Je devrais m'estimer heureuse de m'être échappée de mon cercueil et de ne pas être en train de nourrir les vers. Sauf qu'au lieu de me concentrer sur les bonnes choses, comme mes super pouvoirs, je me plains et je rumine parce que Sinclair ne peut pas me mettre en cloque. Tu y comprends quelque chose, toi ? Est-ce que j'ai l'air de savoir apprécier ma chance ?

— Fleuh ! répondit Jon.

— Je ne te le fais pas dire.

Je le saupoudrai comme si je salais un rôti, fis pénétrer la poudre et lui mis une couche propre. Quand il soupira et battit les bras, j'attrapai une de ses petites mains pour l'embrasser. Il me griffa aussitôt avec ses ongles à la Wolverine, mais je ne lui en tins pas rigueur.

Chapitre 22

— Je ne te remercierai jamais assez de t'être déplacée ce soir, répéta le Thon à Laura, évidemment.

— Tout le plaisir était pour nous, Mme Taylor. Votre fils est adorable.

Le Thon jeta un regard dubitatif à l'interphone qui diffusait de temps à autre les ronflements de Bébé Jon.

— C'est… C'est gentil de ta part de dire ça. J'espère qu'il ne vous a pas causé trop de problèmes.

— C'est un amour ! s'exclama Laura en essuyant une trace de bave sur son épaule.

— Oui, un plaisir de chaque instant, marmonnai-je. Et : oui je suis occupée demain, alors n'y pense même pas.

— Moi, je suis libre, intervint Laura.

— Aucun problème, les filles. Mon gala de charité a été reporté et, de toute façon, je demanderai à Freddy de venir.

— Freddy ? m'exclamai-je d'un ton mordant. La Freddy qui est accro à ses antimigraineux ?

— Elle n'est pas accro, insista le Thon qui, elle-même, n'était pas étrangère à l'abus de ce genre de substances. Elle a simplement beaucoup de migraines.

— Elle pourrait avoir des tonnes de tumeurs, ça ne changerait rien. Elle ne gardera pas Jon, un point c'est tout !

— Ça ne te regarde pas, rétorqua-t-elle.

— Quand a lieu votre gala ? demanda rapidement Laura. Je suis certaine qu'on peut s'arranger.

Anthonia tenta de repousser une mèche de cheveux qui ne bougea pas d'un millimètre.

— Laura, j'apprécie vraiment ta bonne volonté, mais ce n'est pas la peine. Je déciderai moi-même de ce qui est bon pour mon bébé.

J'étais prête à lui arracher la tête et à l'envoyer en haut de l'escalier avec un coup de pied – petite surprise macabre pour mon père, le jour où il déciderait de revenir –, lorsque Laura prit la parole.

— Comme vous l'avez fait par le passé ?

Oh ! putain !

— Quoi ? demanda le Thon.

— Quoi ? répétai-je, figée dans mon élan pour attraper sa petite tête creuse.

— Le bébé. Celui d'avant. Vous avez décidé ce qui était bon pour elle... que vous ne pouviez pas prendre soin d'elle.

— Ça ne pouvait pas attendre ? demandai-je à ma sœur qui était visiblement devenue folle pendant que je regardais ailleurs. Pourquoi tu parles de ça maintenant ?

Apparemment, mettre les pieds dans le plat était aussi une question de génétique à laquelle Laura ne pouvait échapper.

— Je... Je ne...

Je baissai les bras : le Thon avait déjà bien assez de problèmes sans que sa belle-fille lui arrache la tête.

— C'était le bon choix, poursuivit Laura, si vous en étiez persuadée. Mais vous ne vous demandez jamais ce qu'elle est devenue ? Est-ce que vous pensez à elle parfois ?

— Non, répondit le Thon les yeux plongés dans ceux, incroyablement bleus, de Laura. Je ne pense jamais à elle.

De même que, lorsque tu n'es pas là, je ne pense pas à toi. Ça s'est passé il y a très longtemps… Alors quand tu relèves tes cheveux, je ne remarque jamais que tu ressembles à ma mère, quand elle nous préférait encore à ses bouteilles. Je n'y pense jamais et je ne pense jamais à elle, comme je ne pense jamais, jamais à toi.

— Oh ! hoqueta Laura pendant que je faisais de mon mieux pour ne pas tomber à la renverse dans les plantes vertes. (Elle savait ! Elle savait depuis le début ! Pourtant, elle n'avait jamais rien dit !) Je vois.

— Tu es vraiment une gentille fille, Laura. Je suis contente de t'avoir rencontrée. Ça me fait toujours plaisir quand tu passes à la maison. Mais il est tard et il est temps pour vous de rentrer.

— Euh… bien sûr.

— Comme d'habitude, ce fut un plaisir incommensurable… Abrutie ! dis-je en suivant Laura sur le perron.

Le Thon demeura silencieuse. Elle se contenta de rester sous le porche pendant un long moment. Sans doute pour s'assurer que le tueur des parkings ne nous attaquait pas – ou vérifier que nous partions vraiment.

Chapitre 23

On monta en voiture et je démarrai. Toutefois, on attendit quelques instants avant de partir que le chauffage se mette en route. Le tueur des parkings ne nous inquiétait pas vraiment. Quand je reculai enfin, le Thon ferma la porte derrière elle. Elle s'était probablement gelé ses miches musclées en salle de gym en nous regardant partir.

Je me retins une demi-seconde avant d'exploser.

— Je n'arrive pas à croire qu'elle était au courant ! Je n'arrive pas à y croire ! Elle a sûrement compris dès qu'elle a posé les yeux sur toi puisque, apparemment, tu ressembles à feu sa mère alcoolique. Pourtant, elle… elle nous a demandé de faire du baby-sitting ! Plein de fois ! Tu es même venue à la fête prénatale ! Tu lui as offert un cadeau de chez *Tiffany*, bordel !

— C'est une… une battante, murmura Laura.

— C'est une AAAAAAAAAAAAAAAAAA AAAAh !

— Quoi ? Qu'est-ce qui se passe ? s'écria Laura en se retournant frénétiquement dans son siège, la main posée sur la garde d'une épée invisible.

L'épée était vraiment là, mais elle apparaissait seulement lorsque Laura le décidait. Elle était également la seule à pouvoir la toucher.

Je jetai un coup d'œil à Laura avant de reporter mon attention vers le rétroviseur qui me renvoyait l'image d'une femme avec des cheveux d'un blond pisseux, assise sur la banquette arrière.

— Euh, j'ai vu un écureuil, dis-je en regardant de nouveau ma sœur.

Laura observa la banquette arrière, le sol, puis autour de la voiture.

— Pour l'amour de Dieu. Où ça ? Derrière la pédale de freins ?

La blonde me dévisageait. Je tentai de faire attention à la route devant moi.

— Il m'a fait peur, ce con, à débouler sans prévenir.

J'adressai un regard assassin au rétroviseur.

— Désolée, s'excusa la blonde.

— Eh bien, évite de me faire des frayeurs pareilles, rétorqua Laura. La soirée a déjà été assez stressante comme ça.

— Ne m'en parle pas, ajouta la blonde à l'arrière.

Mon cœur s'était emballé sous le coup de l'adrénaline. Bon OK : c'était juste un petit coup et par « emballé », je voulais dire qu'il était passé à dix battements par minute. Mais c'était déjà suffisamment stressant sans rajouter Laura, le fantôme et la route à l'histoire.

Je finis par bafouiller :

— Est-ce que tu… Tu étais… Tu avais prévu ton coup ? Non, oublie ce que je viens de dire : depuis combien de temps est-ce que tu avais prévu de lui parler ?

— Ce n'était pas prémédité, confessa Laura. J'ai *carpe* le *diem*.

— OK. Laura, j'espère que tu te rends compte que pour le… pour ta mère, c'était plutôt une bonne réaction. Elle a presque été gentille. Ce qui, venant d'elle, est très positif.

— Oui, je le sais.

— Laisse-lui un peu de temps, elle… (*Quoi ? Elle finira par se trouver une âme ?*) Et Laura… ne le prends pas mal surtout, mais si tu avais l'intention d'en parler à notre père…

— Jésus Marie Joseph ! s'exclama la blonde sur la banquette arrière. C'est encore mieux que *Des jours et des vies* !

— Ta gueule !

— C'est un bon conseil, répondit Laura.

— Non, euh… Je veux dire que… je ne te le conseille pas. Pas tout de suite, en tout cas…

— Ne t'inquiète pas, dit-elle d'un air pincé. Je n'en avais pas l'intention.

— Ah ! Bon, ça me rassure, souffla la morte dans le rétroviseur.

Chapitre 24

— Eh bien, cette soirée a été… (*Pénible. Tendue. Si j'avais été vivante, je me serais fait dessus au moins deux fois en l'espace d'une heure.*) quelque chose.

— Tu ne rentres pas ? s'enquit Laura, en s'arrêtant devant la porte d'entrée.

Personne n'utilisait les portes de service. J'ignorais pourquoi. Non, en fait, j'en connaissais parfaitement la raison : personne ne voulait être pris pour un domestique. Même eux – les gouvernantes, la dame des plantes, le jardinier – passaient par l'entrée principale.

— Non, non, je vais rester un peu dehors, (Par une température négative et sous un vent glacial !) pour prendre l'air.

Alors que je n'avais pas besoin de respirer.

Laura fronça les sourcils et son front pourtant parfaitement lisse se plissa.

— Tu es sûre ?

— Quoi ? protesta le fantôme. Tu ne comptes pas me faire entrer ?

— La nuit est très belle ce soir. J'aimerais… admirer le jardin à la lumière de la lune.

— J'espère que c'est une blague ! pesta le fantôme. Je suis coincée dehors depuis une semaine et tu refuses de me faire entrer ?!

— Oh ! et puis finalement, répondis-je, je vais plutôt rentrer.

— En espérant que tu sois meilleure hôtesse que conductrice ! maugréa la morte.

— Ta gueule ! Tu as obtenu ce que tu voulais, non ?

— Je t'ai simplement demandé si tu étais sûre ! se plaignit Laura.

— Désolée, désolée. Je suis en colère contre le Thon pour ce qu'elle t'a dit et ma rancœur se manifeste au mauvais moment.

— Cette grosse vache, marmonna le fantôme. Elle laissait son roquet chier dans mon jardin toutes les semaines. Elle croyait que je ne la voyais pas faire.

— Ça suffit !

— Je suis d'accord, rétorqua Laura presque méchamment. La soirée a été longue.

— Chérie, tu n'as même pas idée, lança le fantôme.

— Tu veux toujours qu'on se voie demain ?

— Pour le shopping de Noël, oui, acquiesça Laura, en se calmant sous mes yeux. (Au moins, ses cheveux n'avaient pas changé de couleur. Dieu merci !) On se rejoint ici à 18 heures, OK ?

— Je meurs d'excitation, lança la morte.

— Parfait, répondis-je. Bonne nuit.

Je regardai Laura s'éloigner au volant de sa Volkswagen jaune smiley que ses parents adoptifs trop-gentils-pour-être-vrais-mais-vraiment-gentils lui avaient offerte après avoir économisé pendant trois ans.

Puis, je me tournai vers le fantôme qui faisait quelques centimètres de moins que moi. Ses cheveux blond foncé avaient été relevés en une courte queue-de-cheval. Elle portait un sweat-shirt *Sea World* vert délavé dont les manches étaient relevées jusqu'au coude, avec un legging noir. Des chaussettes. Pas de chaussures ni de manteau. Elle n'avait bien évidemment pas froid.

— Après toi.

— Après moi, acquiesça-t-elle. Merci pour la course, au fait. J'ai cru que j'allais devoir passer l'éternité à Edina. Tu parles d'un enfer !

Quand elle me passa au travers pour rentrer dans la maison, j'eus l'impression qu'on m'avait balancé un baquet d'eau glacée à la figure.

— Putain ! hoquetai-je en me dépêchant de fermer derrière elle.

— Pardon, s'excusa-t-elle, fière de son effet.

Chapitre 25

— Tu es enfin rentrée ! s'exclama Jon.

— Laisse-moi au moins le temps d'enlever mon manteau. Et ce n'est pas le moment, OK ?

— Qui c'est, ce beau gosse ? demanda le fantôme en le déshabillant du regard.

Elle passa même la main à travers son entrejambe. Dieu merci, il ne s'aperçut de rien.

— Arrête ça tout de suite ! Même si tu es morte, ça reste totalement illégal.

— Quoi ? s'enquit Jon.

— Je fais ce que je peux pour me distraire, expliqua le fantôme, alors ne me fais pas la morale.

Tina avait suivi Jon dans l'entrée.

— Bonsoir, Majesté. J'étais sur le point de partir.

— Combien de zigotos habitent ici, au juste ? demanda le fantôme. On dirait *Big Brother chez les losers* !

— C'est un pléonasme, tu sais ? rétorquai-je avant de me tourner vers Jon. Je suis sérieuse : ce n'est pas le bon moment. J'ai d'autres choses à voir et à faire avant le lever du soleil.

— Oh ! Ne te gêne pas pour moi, ricana le fantôme. Je suis sûre que tu préférerais te mettre à poil avec le beau gosse.

— Pour la millième fois, je ne veux pas me déshabiller devant lui !

Je ne m'en étais pas rendu compte, mais à en juger par l'écho dans le hall, j'avais hurlé ma réponse.

— Houla ! fit Jon en reculant.

— Veuillez excuser mon effronterie, Votre Majesté, mais auriez-vous par hasard… un invité ?

— Da da daaaaaam ! fredonna la morte d'un air dramatique.

Je couvris mes yeux d'une main.

— Ouais. Et elle est terriblement agaçante.

— Crève, connasse ! suggéra le fantôme.

— Trop tard, rétorquai-je. Tu la vois, Tina ? Environ cette taille-là… (Je mis la main au niveau de mon nez.) avec des cheveux blonds attachés en queue-de-cheval, un sweat hideux, pieds nus.

— Si on m'avait dit que je marcherais en chaussettes de sport pour l'éternité… J'aurais fait l'effort de mieux m'habiller.

— Ah ! Ça y est ! s'écria Tina en plissant des yeux. (Son expression se fit plus enjouée à mesure que sa vision s'éclaircissait.) Bonsoir, mademoiselle. Je m'appelle Tina. Et voici Elizabeth Ire, la seule et l'unique.

— Attends une minute ! Ça fait des jours et des jours que personne ne me voit et il suffit qu'elle te le demande pour que tu en sois capable ?

— C'est ma reine, répondit simplement Tina.

— Laisse-moi t'expliquer : je suis un vampire…

— Genre ! s'exclama le fantôme.

— Je te le jure !

— Je croyais que tu étais juste bizarre, tu sais, comme le gamin dans ce film… Je ne savais pas que tu étais morte pour de vrai.

— Et bien si, alors pas la peine de remuer le couteau dans la plaie.

— Si je comprends bien, je dois faire attention à tes sentiments parce que tu es morte ?

— Ce n'est pas ce que je voulais dire, répondis-je en serrant les dents. Si tu voulais bien la fermer cinq minutes, je pourrais t'expliquer pourquoi Tina peut te voir. Je ne suis pas un simple vampire, je suis leur chef, en quelque sorte. Et l'une des règles, aussi stupide soit-elle, veut que si je vois un fantôme et que je demande à un autre vampire de le regarder, il le verra aussi.

— C'est naze, commenta-t-elle. Tu as inventé cette histoire de toutes pièces, avoue.

— Bien sûr que non ! rétorquai-je. Et à mon avis, tu devrais te montrer un peu plus sympa.

— Personne ne t'a demandé ton avis, chérie. Ravie de te rencontrer, dit-elle à l'intention de Tina. Tu peux m'aider ?

— C'est moi qui suis censée t'aider.

Le fantôme me détailla des pieds à la tête d'un air dubitatif.

— Génial. Je ne pouvais pas mieux tomber.

— Et si nous allions nous installer dans le salon ? suggéra Tina.

— Bonne idée, répondis-je. Allons-y. C'est la première porte à droite.

Tandis que nous suivions le fantôme, je me penchai pour murmurer à l'oreille de Tina :

— Tu, euh, tu as vu Sinclair ce soir ?

— Non, chuchota-t-elle à son tour. Je ne l'ai pas croisé depuis deux jours. Je ne voulais pas avoir l'air indiscrète, alors…

— Oooooh ! s'exclama le fantôme d'une voix portante qui résonna à travers tout le salon. De nouvelles trahisons dramatiques.

Soupirant, je la suivis… sauf que moi, je passai par la porte.

— Reprenons depuis le début, dit le fantôme.

Elle était restée debout alors que nous nous étions assises. Résultat : nous devions nous dévisser le cou pour la regarder.

— Je suis bien morte ? J'en suis presque sûre à 100 %, mais je préfère vérifier.

— Oui, répondit Tina.

— Désolée, ajoutai-je. Ce n'est pas grand-chose mais, si ça peut te consoler, tu étais bien trop jeune pour mourir. Tu as l'air d'avoir environ mon âge.

— Tu te lances des fleurs, là ! J'ai seulement vingt-six ans. J'avais vingt-six ans, je veux dire… (Elle soupira et regarda à travers nous. Littéralement.) Je m'en doutais. La dernière chose dont je me souviens, c'est ce bruit assourdissant et cette lumière dans mon esprit. Puis, je me suis retrouvée dans mon voisinage, mais personne ne pouvait me voir. Le sale clébard d'Anthonia m'a chié à travers !

— Comment pouvons-nous vous aider ? demanda Tina qui ne se laissait pas distraire.

— Désolée que tu sois morte, ajoutai-je.

— Je vais plutôt vous dire comment moi, je peux vous aider, répondit le fantôme. Je m'appelle Cathie Robinson, je…

— Vous êtes la dernière victime du tueur des parkings ! s'écria Tina en se tournant vers moi. Le *Tribune* a parlé d'elle lorsque son euh… lorsque votre corps a été découvert, Mlle Robinson.

— Dans un parking, c'est ça ? s'enquit-elle d'un ton morne.

Quand elle essaya de s'asseoir, elle disparut à travers le canapé pour sombrer jusqu'au sol. Un « merde » étouffé résonna avant qu'elle refasse surface dans le salon.

— Dans un putain de parking !

— Oui, j'en ai bien peur.

— Désolée, répétai-je parce que, franchement, je ne savais pas quoi dire d'autre.

— Quel connard ! Minable, moins que rien !

— Est-ce que vous vous rappelez quoi que ce soit de… votre mort ? demanda Tina avec tact, du moins autant qu'on pouvait en faire preuve dans ce genre de situation. Quand il vous a attaquée ? À quoi il ressemblait ?

— Tu sais quoi, chérie ? fit Cathie avec un regard soudain pénétrant. Je me souviens de tout.

Tina sourit. L'image était effrayante. On pouvait presque voir la bave couler de sa bouche, tant elle était excitée à l'idée de planter ses canines dans le cou du tueur des parkings.

— Alors, cette fois, vous avez de la chance, Mlle Robinson. Un de nos amis fait partie des forces de l'ordre.

Avec un soupir, Cathie se laissa aller contre le mur, doucement pour ne pas tomber au travers.

— Je savais bien qu'il y avait une bonne raison pour que je te suive partout, me dit-elle.

— Raconte-nous tout. On s'occupera des difficultés à surmonter plus tard.

— Quelles difficultés ? Je n'ai qu'à vous dire où il est, du moins où il m'a emmenée, et vous l'attrapez !

— Notre ami, celui qui est dans la police, ignore tout de l'existence des vampires et, bien sûr, du fait que nous pouvons parler aux morts. Partager cette information avec lui sans nous mettre en danger risque de se révéler compliqué.

— Mais on trouvera un moyen, ajoutai-je rapidement à l'intention de Cathie qui commençait à avoir l'air super énervée. Attraper ce type est notre priorité *primo numero uno* !

— Il y a intérêt, oui ! rétorqua-t-elle. J'ai laissé une famille derrière moi, vous savez ? Et j'ai toujours été une gentille fille. Je devrais être au paradis à l'instant où on parle. La seule raison pour laquelle je suis encore là, c'est pour vous aider à attraper cette espèce de gros connard d'enflure de merde.

J'en étais encore à m'émerveiller du vocabulaire riche et coloré de Cathie lorsque des pas familiers retentirent dans le couloir.

— Raconte tout à Tina, lui demandai-je rapidement en me relevant d'un bond.

— Hé ! protesta Cathie. Où tu crois aller comme ça ?

— C'est mieux si tu en parles à Tina, dis-je en courant presque pour le rattraper. Elle est dix fois plus intelligente que moi, de toute façon.

— Ça, je m'en étais rendu compte toute seule. Mais qu'est-ce qui peut bien être plus important que mon histoire ?

Les morts… pensai-je en passant la porte. *Ce sont les personnes les plus égoïstes de la planète !*

— Sinclair ! criai-je. Attends-moi !

Chapitre 26

— Où… Où est-ce que tu vas ?

— Je sors, répondit-il.

J'aurais pu le deviner toute seule : il portait son pardessus en laine noir et ses chaussures Kenneth Cole, étincelantes. Il tapait impatiemment ses gants en cuir sur une main, attendant poliment que je veuille bien en finir.

— Tu sors ? Comment ça se fait ?

— J'ai besoin de me nourrir, Elizabeth, dit-il simplement.

Je faillis tomber sur le cul sous le choc de ce que cette simple phrase impliquait. Depuis que nous étions ensemble, nous avions un accord tacite à propos du sang : nous nous nourrissions l'un l'autre.

C'est le problème avec les accords verbaux : n'importe qui peut les réécrire ou les contourner.

— Mais… tu ne veux pas… avec moi ?

Je n'arrivais pas à croire que je demandais ça : moi, qui faisais toujours ma dégoûtée quand il s'agissait de partager du sang. Toutefois, l'imaginer trouver une jolie fille… l'ensorceler… se nourrir d'elle… elle tomberait amoureuse de lui, bien sûr… Et alors, que ferait-il ? Il la garderait, peut-être.

Ça n'aurait pas été la première fois. Après tout, il avait eu tout un harem de femmes qui adooooooraient lorsqu'il buvait leur sang. Quand il avait emménagé ici, il les avait congédiées avec une grosse somme d'argent et ça avait été la fin de l'histoire. Clair et net.

Mais à présent…

Il tapa son gant plus rapidement.

— Après les événements d'hier, j'en ai conclu que de telles pratiques étaient désormais hors de portée. Pour chacun d'entre nous.

— Ouais, eh bien, ce que t'as CONclu, c'est complètement con. Voilà !

— Pardon ?

— On s'est disputés, c'est tout. C'était juste une dispute stupide. Ce n'est pas la fin du monde. Et pour être franche, je ne veux pas que tu sortes dans le froid pour aller mordre une autre femme ! Voilà !

— Encore un « voilà ». La situation doit vraiment te bouleverser.

— Tu as paniqué quand Jon a emménagé ici alors que je n'avais pas l'intention de le mordre, ni de me le taper. Et maintenant, c'est toi qui vas racoler des poufs et tu me demandes si ça me pose un problème ?

Il serra les lèvres si fort qu'elles ressemblèrent davantage à une cicatrice qu'à la bouche que j'avais appris à connaître.

— Ce sont deux choses totalement différentes.

— Faux, mon gros ! C'est exactement pareil !

— Très bien.

En un éclair – je pourrais seulement me rappeler chaque mouvement en y repensant par la suite –, il avait lâché ses gants, enlevé ses chaussures et m'avait tirée sans ménagement à l'étage. Je venais à peine de me rendre compte qu'il avait laissé tomber ses gants lorsqu'il referma la porte de ma – notre – chambre derrière nous, me pencha la tête sur le côté et plongea ses canines dans mon cou.

Je criai, irrémédiablement choquée par ce qu'il venait de faire... Non : plutôt par la manière dont il s'y était pris. Je tentai de me libérer, mais il me retenait par l'épaule d'une main pendant que l'autre repoussait mon visage sur le côté pour atteindre facilement ma jugulaire. J'avais l'impression de me débattre contre un arbre qui avait poussé autour de moi.

— Arrête, Éric, arrête ! S'il te plaît, arrête ! le suppliai-je, alors qu'en même temps je m'en voulais de le supplier.

Oui arrête qu'est-ce que tu fais pourquoi tu lui fais du mal ça fera du bien à ton ego *c'est tout tu dois arrêter arrête ARRÊTE !*

Reculant vivement, il se passa la langue sur les dents pour les nettoyer. Puis il observa l'écoulement de sang qui faisait son chemin dans mon cou. Il le stoppa d'un doigt avant de le lécher également. Il me relâcha enfin et je m'écartai aussitôt.

Je savais ce qui allait se passer. Lui aussi. Pourtant, il ne semblait pas avoir l'intention de s'échapper. Repentance ? Rien à foutre. Je le frappai si fort qu'il vacilla en arrière, rebondit contre le mur et s'étala par terre comme un cafard assommé.

Quand je baissai les yeux vers lui, je remarquai que ses canines ne s'étaient pas encore rétractées. Par réflexe, je portai la main à la morsure dans mon cou.

— Je me suis déjà excusée, OK ?

Ma voix tremblait et je détestais ça. Pourquoi n'avais-je pas pressenti ce qui allait se passer ? Étais-je vraiment stupide à ce point ?

— Je me suis excusée. Il est hors de question que je me répète. À toi de voir si tu peux vivre avec ou pas. Une fois que tu auras pris ta décision, emménage ici une bonne fois pour toutes ou pas du tout. Mais emménage vraiment : plus question de venir ici pour ta dose de sang et de sexe avant de t'éclipser ! Et puis j'en ai marre que tu boudes, que tu râles et que tu geignes ! Crois-moi, j'ai des problèmes bien plus importants à régler que ton *ego* froissé ! Maintenant, casse-toi. Viens, je vais t'aider.

Je me penchai en avant avec la ferme intention de le soulever et de le balancer par la fenêtre… J'étais certaine d'en avoir la force et je mourais d'envie de le vérifier. De plus, le sentiment de culpabilité de Sinclair jouait en ma faveur… du moins, c'est ce que je pensais jusqu'à ce qu'il me tire en avant pour me faire tomber sur lui.

— Je suppose que tu as mal entendu mon petit discours, crachai-je. Je vais devoir recommencer.

— Je l'ai très bien entendu. Quels sont tes problèmes plus importants ?

— Tu joues à quoi ? À la roue de la fortune des morts-vivants ?

— Tu m'as dit : « Crois-moi, j'ai des problèmes bien plus importants à régler que ton *ego* froissé » (Ses yeux n'étaient qu'à quelques centimètres des miens. Son haleine portait encore l'odeur de mon sang. Le pire dans tout ça, c'était que je voulais qu'il me morde encore.) Je me demandais de quoi il s'agissait.

— Après ce que tu viens de faire ? Hors de question que je te raconte quoi que ce soit, mon pote !

— Parce que je suis un roi qui ne connoît pas les désirs de la reine ? demanda-t-il d'une voix faible.

— Non, couillon ! Parce que tu m'as tirée jusqu'ici et pratiquement violée à cause de ton caractère de cochon ! Je me fous complètement de savoir si tu peux lire dans mes pensées quand on baise ! Franchement, tu devrais même être soulagé d'en être incapable.

Tu as vraiment envie de savoir tout ce qui se passe dans ma tête ?

— Ce n'est qu'une question de temps, dit-il avec une monotonie qui me glaça le sang. Si tu veux, tu peux me jeter par la fenêtre maintenant.

— Sinclair ! m'exclamai-je en le giflant.

Un peu comme pour lui dire : « Réveille-toi ! Tu prends feu ! » Mais il n'eut aucune réaction.

— Il faut que tu te reprennes !

J'ai vraiment besoin de toi maintenant, plus que jamais, alors s'il te plaît, je t'en prie, reprends-toi, je suis désolée, tu es désolé, tout le monde est désolé, est-ce qu'on peut reprendre notre relation au point où elle en était la semaine dernière ?

— Au contraire, je vois enfin les choses comme elles le sont vraiment. C'est… consternant.

— Éric, s'il te plaît ! J'ai passé une très mauvaise journée et tu m'as déjà assez fait peur pour ce soir.

— Oh ! ça…, répondit-il d'un air absent. Je m'excuse. J'avais faim et tu m'énervais. Ça ne se reproduira plus.

Ne dis pas ça ! Ça n'a rien à voir avec ce que tu as fait, mais avec la façon dont tu l'as fait !

— Je m'en vais, dit-il doucement. Mais avant, j'aimerais que tu saches que tu pourrais sûrement avoir un enfant avec un homme vivant. Je sais à quel point tu aimes Bébé Jon… et je suis sûr que tu en auras un, toi aussi, lorsque tu auras repris tes esprits et que tu m'auras évincé de ta vie.

— Mais… C'est vrai ? Mais… Je ne veux pas…

Sourd à mon état de confusion totale, il se redressa et me souleva doucement comme s'il repoussait une coccinelle. Puis il se leva et me déposa sur le lit avant de disparaître.

Chapitre 27

— Hé ! Réveille-toi.

Je m'enfonçai un peu plus sous les couvertures, comme un gros ver de terre mort-vivant.

— Betsy, réveille-toi.

— Hmm, marmonnai-je.

Toute personne sensée aurait traduit ma réponse par : « Va-t'en, je dors. »

— Ta sœur est en train de massacrer le vampire qui vit dans le sous-sol à coups de poing.

Voilà qui attira mon attention. Quand je me relevai, j'aperçus Cathie, pieds nus, l'air effrayé, qui était assise sur la chaise de Marie.

— Hein ? Qu'est-ce que tu racontes ?

— Ta sœur. Elle est arrivée en avance, pour votre shopping de Noël, je suppose. Elle s'est dirigée vers le sous-sol et comme je m'ennuyais à mourir, je l'ai suivie. Alors, elle a commencé à frapper ce type aux cheveux longs, celui qui ne sait pas parler. Je n'ai pas osé demander à tes amis de s'en mêler : l'une d'elle semble se préparer pour un rendez-vous galant et son copain est déjà là, à l'attendre…

— Oh ! merde ! grognai-je.

— Et tu es le seul vampire que j'aie réussi à réveiller.

Repoussant les couvertures, je jetai un coup d'œil à mon réveil : 17 h 35. J'avais dormi plus longtemps que d'habitude, mais les autres ne seraient pas réveillés avant quelques minutes, lorsque le soleil se coucherait.

— Sympa, le pyjama. Tu l'as acheté dans un vide-grenier ?

Sans perdre mon temps à lui répondre, je me précipitai hors de la chambre. En une seconde, j'avais franchi la porte et dévalé les marches. Lorsque les draps retombèrent sur le lit, je descendais déjà l'escalier qui menait au sous-sol.

Je m'arrêtai en dérapage dans le long espace vide que nous appelions la salle d'entraînement.

Cathie n'avait pas exagéré. Laura rouait George de coups. S'il n'avait pas déjà été mort, elle l'aurait tué. Elle avait toujours su se battre. Le problème, c'était que George n'essayait même pas de se défendre. Chacun de ses coups résonnait de façon effrayante à mes oreilles et les marques qu'il laissait semblaient encore pires.

— Laura !

— Défends-toi, suppôt de Satan ! Bats-toi !

— Laura ! Arrête !

— Bats-toi pour que je puisse t'envoyer chez ma mère ! Défends-toi, comme ça, tu pourras lui dire que je m'en sors très bien toute seule et qu'elle n'a pas besoin de s'en mêler… plus jamais !

Comme je le redoutais, les cheveux de Laura avaient pris une teinte rouge vif, couleur de braises. Ses yeux ressemblaient à l'herbe automnale… encore verte, mais sur le point de mourir. La jeune femme blonde aux joues roses que nous connaissions et aimions avait disparu. La fille du diable l'avait remplacée.

— Oh ! mon Dieu ! s'exclama Cathie qui m'avait enfin rejointe au sous-sol.

— J'aurais préféré que ce soit lui, répondis-je.

— Qu'est-ce qui ne va pas chez elle ?

— Problèmes familiaux.

— Moi, j'ai des problèmes familiaux. Elle, elle est complètement cinglée.

— On verra ça plus tard. Laura ! m'égosillai-je. Lâche-le tout de suite, tu m'entends ? Et pas dans une minute, j'ai dit tout de suite !

— Reste en dehors de ça, Betsy, rétorqua-t-elle à son tour.

Elle donna une claque magistrale à George et lui lacéra la joue. J'imaginais à peine le mal de chien qu'elle devait ressentir à la main. Il recula sous le choc et faillit s'écrouler, mais il refusait toujours de se défendre.

— Laura. Je déteste devoir te rappeler mon rang, mais je suis la reine et tu es en train de tabasser l'un de mes sujets. Alors, ôte tes sales pattes de lui immédiatement !

Elle continua de la frapper (« Bam ! »). J'avais du mal à y croire : ma présence servait-elle seulement à quelque chose ?

Au moment où je me précipitais vers eux, son épée se matérialisa à sa taille. J'étais incapable de la regarder : forgée dans les flammes de l'enfer, elle me donnait mal à la tête, comme si j'observais le soleil trop longtemps. Alors, détournant les yeux, je me retrouvai soudain devant George – je ne suis pas certaine de me rappeler comment –, les bras écartés pour le protéger, et ma sœur plongea sa lame dans ma poitrine par erreur.

Chapitre 28

— Betsy ? Betsy ? Betsy ?

— Arglllllll !

C'est moi qui fais ce bruit ? Non. Qui est-ce qui s'étouffe ? Ce n'est pas moi, pas vrai ?

— Laura, je t'apprécie vraiment...

Sinclair ? Qu'est-ce qu'il fabriquait ici ? On aurait dit qu'il étranglait ma sœur... Je ne savais pas trop quoi en penser, pour être franche : *Continue ? Méchant Sinclair, méchant ?*

— Argllllll !

— Oui, merci, mais si elle meurt, j'ai bien peur que tu doives mourir aussi. C'est un étrange tic territorial dont je n'arrive pas à me défaire. Je me rends compte que c'est un problème et je fais de mon mieux pour m'en sortir. Toutefois, je vais devoir m'en tenir à ma parole, pour cette fois.

— Betsy ? Tu m'entends ?

Marc ! Il s'agissait de la voix de Marc ! Génial ! Pour une fois, il était en repos quand j'avais besoin de lui.

— Elle a une saloperie d'épée coincée entre les seins ! (Et voilà Cathie...) Comment tu veux qu'elle t'entende ? Je me demande bien pourquoi j'essaie de parler avec cette bande de nazes !

Je ne suis pas morte !

—Je suppose que ça ne sert à rien de vérifier ses signes vitaux.

Tina.

—Elle n'a pas de pouls et ne respire pas. J'en conclus qu'elle est morte. Et puis, il y a une énorme épée qui dépasse de sa poitrine...

—Sans blague ? cria Cathie.

—Mais elle était déjà morte avant... Je sèche complètement.

Tina fredonna son consentement avant d'ajouter :

—Nous aussi... Où est Nick ?

—Dieu merci, Jessica l'occupe à l'étage. Elle a vraiment choisi son moment pour se remettre dans la course.

—Amen ! Je n'aurais pas dit mieux, dis-je en ouvrant les yeux.

Je fus surprise de constater que Cathie et Marc n'avaient pas menti : j'avais bien une énorme épée fichée dans le torse. Lorsque Laura s'en était servie pour tuer des vampires sous mes yeux, ils s'étaient aussitôt désintégrés. J'avais du mal à croire que je ne m'étais pas transformée en tas de poussière.

—Sinclair ! Repose-la. Laura, viens ici et enlève-moi ce machin.

Ils me dévisageaient tous les deux. Le visage de Laura était si rouge qu'elle semblait sur le point de faire une rupture d'anévrisme. Remarquez, avec la prise de fer qu'avait Sinclair sur sa gorge, ça semblait plutôt imminent. Quand il la relâcha, elle tomba sur le sol en ciment en haletant.

—Je ne peux pas vous laisser une seule nuit sans que ça tourne à l'apocalypse, me plaignis-je. Qu'est-ce que vous avez fait de George ?

— Nous l'avons placé sous la douche pour nettoyer son sang, me rapporta Tina sans détour.

Agenouillée devant moi, elle me serrait le bras, comme pour se rassurer que je n'allais pas disparaître.

Laura s'était hissée sur ses genoux, puis ses jambes. Si j'avais été elle, je n'aurais pas tourné le dos si promptement à Sinclair. Cependant, elle ne semblait voir personne d'autre que moi tandis qu'elle avançait vers nous d'un pas chancelant.

— Betsy ! Oh ! Betsy ! Pardonne-moi ! (Elle trébucha et s'étala sur le sol, mais elle allait sans aucun doute se relever puisqu'elle continuait à parler.) Ce n'était pas toi que je visais, je te le jure ! Je suis une sale traîtresse qui ne te mérite pas. Tu m'as accueillie dans ta famille et voilà comment je te remercie. (Elle désigna l'épée d'un geste de la main.) Je t'en prie. Je te demande pardon à genoux. Je...

— Laura ?

— Oui ?

— On ne pourrait pas avoir cette conversation une fois que tu auras retiré ce truc de ma poitrine ?

— Oh ! Oh oui ! Bien sûr. Je... Euh... Personne n'a jamais... (Elle se saisit de la garde avec la facilité de l'habitude.) En général, la lame passe au travers sans blesser, elle ne fait qu'annuler des effets magiques, ou elle... tue. C'est la première fois que mon épée reste coincée.

Je me sentis mal.

— Alors, est-ce que tu peux la décoincer, s'il te plaît ?

— Oui, bien sûr. Mais après t'avoir causé autant de peine, je dois te prévenir que ça risque d'être encore un peu douloureux.

— Elizabeth ! s'écria Sinclair depuis le coin où il boudait. (Tout le monde se retourna vers lui, bouche bée.

Ce n'était jamais bon signe quand il élevait la voix.) J'insiste pour que tu annules le mariage sur-le-champ.

Je hoquetai d'indignation.

— Et les coups continuent de pleuvoir ! Annuler le maria... aaaïe ! (Je portai une main à mon torse. Dieu merci, le trou avait disparu.) Ça m'a vraiment fait mal, sale garce !

— Peut-être moins, fit remarquer Sinclair d'un air grandement soulagé, puisque tu étais distraite.

— Ouais, merci de m'avoir aidée en me donnant la peur de ma vie, marmonnai-je tandis que Marc et Tina m'aidaient à me relever.

Marc tripota l'espace entre mes seins, ce que je ne pris pas personnellement, puis me contourna pour inspecter mon dos.

— Comment vous sentez-vous ? me demanda Tina, visiblement inquiète.

— Folle de rage ! Je suis réveillée depuis quoi ? Dix minutes ? Putain, c'est pire que le bal de promo de 1991. Laura, tu as intérêt à avoir une bonne explication.

— Ferme les yeux et pense à la patrie, dit Marc avant de soulever mon haut de pyjama.

— Hé ! Il fait froid ici, arrête ! m'exclamai-je en me dégageant vivement. Je crois que si j'avais un trou béant dans la poitrine, tout le monde s'en serait aperçu.

— Je n'arrive pas à croire que tu ne sois pas morte ! s'exclama Laura. Je veux dire... Je suis contente et tout, mais c'est la première fois que ça arrive. (Quand Sinclair se rapprocha de notre petit groupe, elle s'éloigna instinctivement de lui.) J'ai essayé de te l'expliquer, tout à l'heure... Je n'avais pas l'intention de la poignarder. Elle s'est interposée.

— Oui, répondit Sinclair d'une voix enjôleuse, mais qui au juste essayais-tu de tuer lorsqu'elle s'est… interposée ?

— Je ne… Je n'allais pas vraiment le faire.

Soudain, Laura eut l'air d'une fillette de douze ans. Les nattes y étaient pour beaucoup. Sans parler du fait qu'elle avait rangé son épée… à l'endroit où elle la rangeait quand elle ne tuait pas de vampires.

— On était simplement en train de s'entraîner.

— Je suppose que ce qui s'est passé chez le Thon t'a davantage touchée que tu as bien voulu l'avouer, fis-je remarquer.

Laura haussa les épaules. Elle refusait de nous regarder dans les yeux. Ses cheveux étaient redevenus blonds et ses yeux bleus. Le même bleu que ceux de la mère du Thon… ou de Satan.

— C'est un vampire sauvage, dit-elle sur la défensive. Je n'aurais pas vraiment pu le blesser… ou lui infliger des dommages permanents.

Mensonge.

— On ne faisait que s'entraîner.

Mensonge.

— Ça n'a rien à voir avec ma famille, insista-t-elle avec un troisième – et espérons dernier – mensonge.

— Ça…

Bats-toi pour que je puisse t'envoyer chez ma mère !

— Ne veut…

Défends-toi, comme ça, tu pourras lui dire que je m'en sors très bien toute seule.

— Rien dire !

— Mazette ! siffla Cathie. (Tina lui jeta un coup d'œil en coin, mais personne d'autre n'était conscient de sa présence.) Tu parlais de problèmes familiaux ?

Non, parce que là, c'est un putain de problème, si tu veux mon avis. Rassure-moi, Liz : tu ne crois pas cette petite faux-cul, pas vrai ?

— Ne m'appelle pas comme ça ! Ce n'est pas grave, Laura, dis-je pour dissiper le silence gêné. (Ma vie toute crachée : une succession de situations embarrassantes !) C'était un accident ! Je sais très bien que tu ne me blesserais jamais volontairement.

— Oui, c'est vrai, dit-elle, ses grands yeux bleus candides noyés de larmes. Je n'aurais jamais l'intention de te faire du mal. Plutôt mourir que te blesser !

— Vraiment ? demanda Sinclair en penchant la tête sur le côté.

— Laisse-moi, euh, vérifier que George va bien et on pourra aller faire du shopping.

Son expression s'illumina.

— Tu… Tu veux quand même y aller ?

— Tu plaisantes ? Qu'est-ce que tu ne comprends pas dans « 30 % sur tout le magasin » ? Crois-moi, il en faut plus pour m'empêcher d'en profiter. Je te rejoins à la voiture.

— Oh ! répondit-elle d'un air triste. Je suppose que c'est le moment où vous vous concertez pour décider de mon sort.

— Mais non, on veut parler de ton cadeau de Noël, mentis-je en la poussant dans la direction de l'escalier.

Chapitre 29

— Nom de Dieu ! m'exclamai-je en observant la cabine de douche. Elle l'a vraiment tabassé à mort.

— Oui.

— Je parie qu'il n'a rien dit ?

— Rien du tout, répondirent Sinclair et Tina à l'unisson.

Marc était retourné à l'étage pour prendre Jessica à part et lui assurer que tout allait bien. Je n'avais aucune idée de ce que fabriquait Nick... Avec un peu de chance, il ne fourrait pas son nez dans nos affaires. Outrée qu'on ait laissé ma sœur s'échapper, Cathie avait traversé le mur pour se rendre je ne sais où.

— Pauvre petit ! Il ne demandait rien à personne et voilà qu'elle vient le trouver jusqu'ici et se jette sur lui.

J'étais sur le point de m'ouvrir le poignet avec les dents pour donner son remontant habituel à George, lorsque Sinclair m'en empêcha.

— Une grande partie des croyances de ta sœur repose sur la rédemption. Elle semble vraiment regretter ses actions. Pourquoi ne pas la laisser nourrir George pour un jour ou deux ?

— Oh ! Mais ça serait... (*diaboliquement sournois*) génial, avouai-je. D'accord. Je vais le lui dire. Elle devra le nourrir, d'une manière ou d'une autre, jusqu'à ce que toutes les blessures qu'elle lui a infligées aient disparu.

— Et… euh… Je dois m'assurer que le… euh, bafouilla Tina comme une blonde apprenant le latin.

Croyez-moi, c'est l'expérience qui parle.

— Tina ? C'est quoi, ton problème ?

— La chose ! s'exclama-t-elle. Je dois faire en sorte qu'on s'en occupe.

— Hein ?

Trop tard : Tina avait déjà quitté la salle de bains, me laissant seule avec Sinclair qui ne voulait pas me parler et George qui en était incapable.

Super…

— Bon, fis-je en toussotant. Je ferais mieux d'aller faire mes courses de Noël…

— Je remarque que tu te fais toujours tirer dessus, poignarder ou mortellement blesser quand je ne suis pas dans les parages.

Était-ce un sourire qui menaçait d'étirer ses lèvres ?

— Hé ! Je n'ai rien fait du tout. Je ne demandais rien à personne. C'est Laura qui m'a poignardée.

OK, même moi, je savais que ce n'était pas très convaincant.

En attendant, il souriait pour de vrai.

— Ta sœur aura quelques bleus.

— Compris : je vais lui apporter de la glace. Pour ta gouverne, je n'approuve pas les actes de strangulation.

Tout à coup, le sourire disparut à l'endroit où se cachent les sourires de Sinclair.

— Elle devrait s'estimer extrêmement heureuse de n'avoir quc des hématomes.

— Sinclair, c'était un accident. Tu as bien vu combien elle s'en voulait.

— Elle avait l'air de se sentir coupable, c'est exact.

— Quoi ? Tu crois qu'elle nous ment ?

— Je n'en ai pas la moindre idée. C'est une des raisons pour laquelle je m'en méfie.

— Eh bien, tu n'aurais pas dû la soulever de cette façon et l'étrangler comme un rat. Même si c'était… peu importe. Méchant, méchant Sinclair ! Mais merci d'être venu à mon secours. Une fois de plus.

Soupirant, il m'attira à lui. Je me laissai faire avec méfiance.

— Visiblement, j'ai beau être en colère contre toi, je ne supporte pas de te voir blessée ou en mauvaise posture…

J'eus la soudaine envie de sauter dans tous les sens. Je la tuai dans l'œuf.

— C'est l'amûûûr !

Il grimaça.

— Charmant.

— Écoute, j'ai bien réfléchi.

— Merveilleux !

— La ferme. Je suis sérieuse. J'ai vraiment réfléchi. Au sujet de notre dispute et de tout ce que tu as dit. On ne devrait peut-être pas se marier finalement, proposai-je avec difficulté.

Toute une éducation passée à lire *La Mariée moderne* se soulevait à l'intérieur de moi pour crier d'horreur. Tant pis. J'étais prête à faire d'affreux sacrifices pour garder celui que j'aimais.

— Tu es sûre qu'elle ne t'a pas frappée sur la tête avec son ustensile infernal ? s'enquit-il en posant la main sur mon front.

Je repoussai sa main d'une tape.

— Je suis sérieuse. Ce genre de choses va continuer à nous arriver. À nos amis aussi. Il y aura toujours un désastre à l'horizon prêt à gâcher tout ce qu'on aura construit. Tu dois admettre que pour une fois, l'incident était plutôt mineur. Mais le pire nous attend forcément au tournant. Alors peut-être…

— Pas question.

— Je pense simplement que…

— Tu l'as dit toi-même : tu n'auras pas l'impression de m'appartenir tant que nous ne nous serons pas prêtés à ce rituel humain ridicule. Alors nous le ferons, point final. En revanche, il est hors de question que je me soumette à une autre dégustation ou que je choisisse les fleurs. Pas question. C'est un « non » définitif.

— En y réfléchissant, c'est… mignon, répondis-je. Si je comprends bien : tu ne penses pas être assez bien pour moi, mais tu tiens quand même à célébrer ce mariage alors que tu m'as soutenu que je changeais la date simplement parce que, secrètement, je ne voulais pas t'épouser… Je me trompe ?

— Secrètement ou non, tu attaches énormément d'importance à ce rituel humain. Alors, nous allons nous y conformer… et tu seras obligée d'admettre que tu m'appartiens.

— Euh… je refuse d'utiliser le verbe « obéir » pour les vœux.

Il sourit.

— Tu serais surprise, ma chérie.

Chapitre 30

— Qu'est-ce qui vient de se passer ? demandai-je à Jon en me dirigeant vers la porte principale. Est-ce qu'on s'est rabibochés ? Est-ce qu'on est de nouveau ensemble ? Est-ce qu'on s'était vraiment séparés ? Est-ce qu'il a changé d'avis après m'avoir vue poignardée ? Devrais-je encore lui en vouloir pour l'attaque de la chambre ? Ou est-ce qu'on est quittés parce que je lui ai flanqué une raclée juste après ? Et pourquoi est-ce que je te raconte tout ça ? Où est Tina ? Et Jess ?

— Alors, c'est vrai ! s'écria Jon, pianotant sur son smartphone d'une main pendant que l'autre repoussait frénétiquement les mèches rebelles qui lui tombaient devant les yeux. Betsy ! Il faut qu'on reprenne là où on s'était arrêtés !

— Chuuuuuuut ! (J'entendais Jess et Nick discuter dans la pièce d'à côté.) Pas tant que Nick sera dans la maison.

— Nick, c'est… (Il consulta ses maigres notes.) L'inspecteur Nick Berry. Ah ! Oui : situation délicate.

— Tu m'enlèves les mots de la bouche. Comme on n'est pas sûrs de ce qu'il sait, ne t'amuse pas à parler de vampires, d'épées ni d'autres conneries en sa présence, compris ?

— Ne t'inquiète pas. Tu peux compter sur moi. Tu le sais bien.

— Merci, répondis-je avec un sourire avant de froncer les sourcils. Tu sais, j'étais excitée à l'idée que Jessica sorte avec ce type, mais maintenant, je commence à me demander…

— Quand est-ce qu'on pourra continuer ? geignit-il.

— Viens faire du shopping avec Laura et moi. Elle connaît la majorité de mes secrets inavouables. Tu n'auras pas à faire attention à ce que tu dis devant elle.

De toute façon, j'avais l'impression que ce qui s'était passé dans le sous-sol ne ferait pas l'objet de conversations avant bien longtemps.

— D'accord ! s'exclama-t-il en levant le poing en signe de victoire.

Je versai des larmes sèches pour le pauvre petit geek sans avenir qu'il était, avant de récupérer mon manteau.

Chère Betsy,

Je suis mort il y a environ dix ans, et durant toutes ces années – vous savez ce que c'est –, je n'ai jamais pensé à autre chose qu'à la soif.

Aujourd'hui, les choses sont différentes. J'ai recommencé à lire le journal de ma ville natale. Un article mentionnait le départ à la retraite de mon père. Il n'avait que 39 ans quand j'ai été transformé en vampire. Il ne m'a plus jamais revu depuis ce jour-là, comme tous les membres de ma famille.

Que dois-je faire ? Je sais que je suis censé rester dans l'ombre, mais mes proches me manquent vraiment. J'aimerais savoir ce qu'ils sont devenus.

J'espère que ma lettre figurera dans votre rubrique,

Le fils fantôme de Fridley

Cher Fridley,
Bon sang de bon soir, va voir ton père ! Si tu ne veux pas que ta famille sache que tu es un vampire, invente un bobard : tu as été engagé par une agence gouvernementale, par exemple ; c'est pour ça que tu as disparu pendant si longtemps, pour un projet tellement secret que tu ne peux pas en parler et tu ne peux pas t'éterniser. Ils seront super fiers de toi parce que tu sauves le monde tous les jours.
Quelque chose dans le genre.
Crois-moi, ils seront contents d'apprendre que tu n'es pas mort. Ils ne penseront même pas à te poser des questions embarrassantes avant que tu repartes.

Ta reine,
Betsy

Chapitre 31

Nous venions de dépasser la troisième chorale de Noël de la soirée lorsque Jon prit la parole.

— Cette période de l'année doit être l'enfer pour les vampires. Littéralement.

Je ne pus m'empêcher de glousser.

— Une chorale est passée à la maison l'autre soir : Tina et Sinclair se sont précipités vers le sous-sol en se bouchant les oreilles. Et ils refusent de faire du shopping avec moi, ça va sans dire. Un simple « Joyeux Noël » de la part d'un étranger leur cause une indigestion pour le reste de la soirée.

Ma tirade arracha enfin un éclat de rire à Laura. Jusqu'à présent, elle conduisait comme un robot, sans répondre ni engager la conversation. Elle se contentait de tourner le volant d'un air crispé et de pousser le levier de vitesses.

— Mais ça n'a aucun effet sur toi…

— Bien sûr que non ! J'adore cette période de l'année.

— Vous êtes folles d'aller dans un centre commercial une semaine avant Noël, fit remarquer Jon.

— Oh ! la ferme. Qu'est-ce que tu en sais, d'abord ?

— J'ai fini mes cadeaux de Noël avant octobre.

Je frissonnai. Alors, il faisait partie de ces bêtes-là… Si vous voulez mon avis, c'est encore plus diabolique que les vampires.

— Est-ce que George va s'en remettre ? demanda timidement Laura.

— Ah ! George… Oui, parlons-en. Sinclair a trouvé la punition idéale pour toi.

— Connard, marmonna Jon tellement faiblement que je faillis ne pas l'entendre.

Je choisis de ne pas me laisser distraire. *Concentre-toi sur la fille du diable qui a failli te tuer ainsi qu'un vampire sauvage sans défense.*

— Il a besoin de sang frais, pris directement à une veine vivante, sinon il va régresser et oublier comment marcher et tout ce qu'il a réappris à faire. Jusqu'à présent, je le nourrissais, mais devine quoi ?

— Oh ! non…, gémit-elle.

— Je pourrai regarder ? demanda Jon.

— Vous avez bien compris : pour avoir tabassé à mort un invité qui ne t'avait pas provoquée et pour avoir essayé de réduire la reine des vampires en un tas de poussière, tu as gagné le droit de… laisser George te sucer le sang jusqu'à ce que toutes ses blessures soient guéries ! Merci d'avoir joué avec nous !

Elle frissonna.

— C'est dégoûtant !

— Tu aurais dû y penser avant de te défouler sur lui.

Ooooh ! Sinclair était un génie diabolique. L'effet était absolument génial. Je ne l'avais jamais vue aussi déstabilisée.

— Et si je refuse ?

Je haussai les épaules.

— Dans ce cas-là, je te souhaite bonne chance. Ne reviens jamais.

— Tu n'oserais pas ! Tout ça à cause de ce… ce truc !

— Laura !

— Pardon. Je n'ai simplement pas la même vision des choses à son sujet. Ce n'est pas un homme, tu sais ?

— Le gamin sur le siège arrière non plus, à ce que je sache…

— Hé !

— Pourtant, on l'autorise quand même à rester à la maison. Je ne discuterai pas avec toi, Laura. Je sais que j'appuie un peu trop sur mon rôle de reine, mais tu n'as aucun droit de venir chez moi et de t'en prendre à l'un de mes sujets. C'est comme ça, c'est tout. Ne fais pas semblant de ne pas comprendre.

Elle ne répondit pas. Le silence tomba sur notre petit groupe jusqu'à ce que Jon le rompe :

— Qu'est-ce qui s'est passé après que tu t'es rendu compte que tu ne pouvais pas mourir ?

Alors, je repris le récit de ma vie depuis avril.

Chapitre 32

À notre retour, Sinclair m'attendait dans ma chambre.

— Ne regarde pas ! m'écriai-je avant de traîner mes énormes sacs jusqu'à mon armoire pour les balancer à l'intérieur.

Je refermai la porte et m'adossai contre elle.

— Oserais-je croire que tu m'as acheté un cadeau malgré mon épouvantable faux pas de la nuit dernière ?

— Si tu admets que tu es un salaud, je n'ai aucune raison de te contredire… même si j'avoue que je t'en veux beaucoup moins depuis que tu as failli étrangler ma sœur. Que veux-tu ? Je suis de la vieille époque !

Quand je me rendis compte que je n'avais pas vraiment répondu à sa question, j'ajoutai :

— J'ai simplement fini de payer ce que j'avais fait mettre de côté. N'y vois rien de très important.

— Tu étais avec Jon, à ce que j'ai compris ?

Grognant de frustration, je me laissai tomber sur le lit pour retirer mes chaussures.

— Ah non ! Éric, ne recommence pas avec ces conneries dépassées, tu veux ? J'étais aussi avec Laura, pourtant, ça ne veut pas dire que j'étais dans leur troisième ménage.

— Tu n'étais pas le troisième dans leur ménage, tu veux dire ? me corrigea-t-il. Je ne comptais pas recommencer avec ces idioties désuètes. L'agacement que m'inspire Jon dépasse désormais ses intentions romantiques à ton égard.

— Ah oui ? Mon Dieu, j'en ai la tête qui tourne ! Qu'est-ce qu'il a encore fait ? Ne me dis pas qu'il a recommencé ses idioties désuètes, comme tu dis ? Les Ailes sont de nouveau dans la course ?

— Non, mais ses activités actuelles sont tout autant dangereuses pour toi. L'histoire de ta vie ne devrait être publiée sous aucun prétexte, peu importe la forme qu'elle prend.

— Mais c'est une blague ! Il fait croire à tout le monde qu'il s'agit d'une œuvre de fiction… un innocent projet scolaire. Le plus drôle dans l'histoire, c'est que l'héroïne est censée exister, et certains d'entre nous savent qu'elle existe vraiment, mais tous les autres pensent…

— Je suis tout à fait conscient de ce qu'implique cette plaisanterie et, crois-moi, je préférerais être inconscient.

— Sinclair ? Dis-moi que je rêve ? Viendrais-tu de faire… une blague, par hasard ? Un gag ? Un jeu de mots ? Une histoire drôle ? Tu te sens fiévreux, nauséeux, malade ?

— De plus, je le suspecte d'avoir imaginé cette petite mascarade pour rester près de toi.

Soupirant, je plaçai mes chaussures dans mon placard à la vitesse de l'éclair pour ne pas que Sinclair jette un coup d'œil à l'intérieur.

— Elizabeth ? Je retiens ma respiration en attendant ton avis sur la question.

— Qu'est-ce que tu veux que je te dise ? Peut-être bien que oui. C'est une drôle de coïncidence que parmi tous les sujets qui s'offraient à lui, il ait choisi celui qui lui permet de me suivre partout et de me bombarder de questions.

—Ah ! répondit Sinclair, d'un air approbateur.

—Putain ! Sinclair, je sais que je ne suis pas un génie, mais je ne suis pas non plus dans le coma ! Ce n'est pas la première fois que j'intéresse quelqu'un : je sais reconnaître les symptômes… Pauvres types !

—Oui, nous ne sommes rien que des pauvres types.

Comme je ne savais pas quoi répondre à ça, je continuai d'exposer le fil de ma pensée.

—Je ne sais pas. J'ai peut-être pitié de lui. Je lui dois bien un peu de réconfort. Après tout, il a fait tout le trajet jusqu'ici pour qu'au final, je lui brise le cœur. En plus, la vraie raison pour laquelle il a arrêté de tuer les vampires est parce qu'il m'aimait. J'avais l'impression de devoir… je ne sais pas…

—Rester magnanime dans la victoire ?

Je frissonnai.

—Ça ne m'étonne pas qu'un tel constat sorte de ta bouche, Sinclair.

Je me rendis compte qu'il avait pris sa position habituelle lorsque nous discutions : les bras croisés, il était appuyé contre la porte (les gens avaient tendance à entrer directement après avoir légèrement frappé ou, pire, sans frapper du tout), la tête penchée sur le côté tandis qu'il écoutait attentivement toutes les paroles qui franchissaient mes lèvres. Je retirai mes chaussettes à grenouilles avant de les lancer dans le panier à linge. Au moins, il n'eut pas de mouvement de recul. Je ne l'aurais pas supporté.

—Je préférerais presque que tu le détestes, fit-il remarquer. Un homme arrive à se glisser dans le lit d'une femme pour bien moins que de la pitié.

— C'est cela, oui ! rétorquai-je. Comme si une femme t'avait déjà laissé la baiser par pitié !

— J'espère seulement, dit-il en s'éloignant de la porte pour m'approcher, qu'il y en aura au moins une. Mon comportement a été abominable.

— Oui, un vrai connard !

Je l'observai avec précaution. C'était trop beau pour être vrai ! Seulement : 1) rien n'avait changé et 2) je n'avais pas de robinet pour stopper mes émotions.

— Je suis contente que tu te repentes, mais je ne peux pas arrêter de t'en vouloir comme ça, dis-je en claquant des doigts. Ça ne se décide pas !

— Alors, je vais devoir te supplier de me pardonner, murmura-t-il d'un ton extrêmement sérieux.

Je me rendis compte que ses cheveux – ses cheveux à lui ! – étaient mal peignés, comme s'il ne les avait pas coiffés depuis des heures. C'était aussi choquant que s'il était sorti sans pantalon.

— Durant nos ébats amoureux, il nous est arrivé d'agir brutalement, je crois que c'est la nature des vampires, mais ce n'est pas une excuse pour t'avoir agressée.

— Je ne te le fais pas dire !

— Ma seule excuse...

— Hé ! Je croyais que tu n'avais pas d'excuse.

— ... est que je me suis laissé emporter par la peur, qui est une expérience nouvelle pour moi. (Il fronça les sourcils.) Une expérience très désagréable.

— Eh bien..., dis-je en l'autorisant à me prendre dans ses bras. (Il me serra avec précaution, comme il l'aurait fait avec un tonneau rempli de serpents venimeux et ouvert des deux côtés.) Je t'ai pris par surprise, je l'admets, et pas de la meilleure des façons. Je n'avais pas l'intention de garder le secret pendant si longtemps, ni de tout te raconter de cette façon.

— Tu t'en es déjà excusée à maintes reprises.

— Exactement ! Donc, ça ne t'inquiète plus, maintenant ?

— « Ça » désigne le fait terrifiant et irrémédiable que tu puisses entrer dans mon esprit lors de nos moments les plus intimes alors que tes pensées restent strictement gardées derrière une porte fermée à clé ?

— Dit comme ça, marmonnai-je, tu pourrais placer n'importe quoi sous un mauvais jour. (Je me détendis et plaçai un baiser sur son menton.) Ne fais pas la tête. Je n'étais pas vierge quand je t'ai rencontré, alors je suis contente d'avoir eu une première fois atypique avec toi. Ça m'a aidée… ça m'a aidée à prendre beaucoup de décisions. Surtout en octobre dernier. Tu étais conscient que, selon ma décision, j'allais rester ou partir pour toujours, pas vrai ?

— Hmm hmm, fit-il, le visage enfoui dans mon cou.

Quand je tressaillis d'appréhension, il m'embrassa légèrement pour me rassurer, au même endroit où il avait planté ses canines la nuit précédente. Depuis, la plaie avait bien sûr complètement guéri, mais je ne pouvais m'empêcher d'être sur la défensive.

— Et une des raisons pour lesquelles j'ai choisi de rester, c'est parce que quand je t'entends dans ma tête, tu n'es ni sournois ni bizarre.

— Il va me falloir du temps, dit-il en dirigeant ses lèvres vers mon décolleté, sensation aussi agréable qu'elle en avait l'air.

— Du temps ? (J'éclatai de rire en prenant sa tête entre mes mains.) Mon cœur, tu te jettes tellement vite sur le

Livre des Morts au moindre problème que tu oublies qu'on est coincés ensemble pour un millier d'années.

— Dit comme ça, répondit-il en me soulevant pour me jeter sur le lit, tu pourrais placer n'importe quoi sous un mauvais jour.

Chapitre 33

Il venait de remonter vers mon visage pour me voler un baiser après avoir passé une éternité entre mes jambes… à tel point que je me demandais s'il était possible de mourir – oui, mourir – de plaisir. Ça paraissait probable. Une façon très agréable de passer l'arme à gauche, soit dit en passant.

Est-ce que tu m'entends ?

— Sinclair ! On n'est pas dans un remake de pub pour téléphone portable ! grognai-je. Alors baise-moi et pense à autre chose ! À n'importe quoi d'autre !

Mais tu peux…

Il s'interrompit le temps de me pénétrer. Je gémis en le sentant s'insinuer en moi, entièrement ; il semblait partout à la fois.

… m'entendre ?

— Oui, grommelai-je. Je t'entends.

Et quand je pense à quel point tu es précieuse pour moi et que j'ai failli briser la nuque de ta sœur lorsque j'ai vu son épée sortir de ta poitrine, tu m'entends aussi ?

Il se retira. Avoir une conversation de cette manière et à ce propos était vraiment étrange. Mais j'étais capable de m'adapter à toutes les situations.

— Oui, je t'entends.

Alors, d'accord : je peux vivre avec ça.

— Ce n'est rien, marmonnai-je, comparé à tout ce que j'endure.

— J'ai lu tes articles, dit-il un peu plus tard.

Je me cachai sous les couvertures en grognant. Après quelques secondes d'excavation, il parvint à me trouver et à m'en faire sortir.

— Ha ha ! Ça fait une minute que je pense sans aucun résultat. Tu ne m'entends vraiment que pendant…

— Je te l'ai dit ! Est-ce qu'on doit se disputer chaque fois ? Pas la peine de me faire un rapport éditorial sur ma rubrique.

— Je l'ai beaucoup aimée, poursuivit-il sans prendre en compte mon ordre royal. (Était-ce mon imagination, où le fait que je ne sois pas constamment télépathe lui remontait considérablement le moral ?) J'ai trouvé qu'elle était pleine de bon sens. Bien sûr, elle va causer un certain scandale auprès des plus anciens…

— Mes réponses ne sont pas destinées aux plus anciens. Eux ont déjà compris comment les choses fonctionnent. Et je dois avouer qu'écrire me fait un bien fou.

— Peut-être que cette image plus légère de la reine parviendra à apaiser les plus… les vampires qui ont une vision plus personnelle des choses. Surtout ceux qui font partie de la faction européenne.

— Je n'ai pas d'autre image que celle-ci, admis-je, avant de comprendre ce qu'il venait de dire : quelle faction européenne ?

— Un groupe d'anciens vampires qui réfléchissaient sérieusement à la possibilité de te renverser.

Je m'assis d'un bond.

— Quoi ?

— Tu ne t'es jamais demandé pourquoi j'étais soudain allé en Europe à l'automne dernier ?

— Euh si, mais... à ce moment-là, nous étions... je ne voulais surtout pas montrer de l'intérêt pour tes activités parce que je t'en voulais toujours d'avoir agi en douce et... Tu vois, tu étais justement en train d'agir en douce !

— Mais je les ai persuadés de ne pas se révolter, dit-il, pris au dépourvu. J'ai résolu le problème en ton nom.

— Premièrement, pourquoi est-ce qu'ils ne peuvent pas se mêler de leurs affaires ? Qu'ils s'occupent de leur petite personne et moi de la mienne, putain !

— Je te rappelle que tu as tué deux puissants vampires en l'espace de trois mois et l'un d'eux était le pouvoir en place, m'expliqua-t-il. Ils avaient des raisons de s'inquiéter.

— Deuxièmement, pourquoi est-ce que tu es allé là-bas en secret, sans me dire un mot sur ce qui s'était passé quand tu es rentré, hein ? Au lieu de ça, j'ai simplement eu droit à un « Tu m'as manqué Betsy, pourquoi tu ne veux pas coucher avec moi ! »

— Tu m'avais vraiment manqué, répondit-il, et je me demandais pourquoi tu refusais de partager mon lit. Ou *vice versa*, ajouta-t-il en baissant les yeux sur les draps verts en flanelle.

— C'est exactement ce dont je voulais parler ! m'exclamai-je en me débattant avec les couvertures comme un poisson hors de l'eau. Tu n'as pas le droit de me cacher ce genre de choses !

— Mais j'ai arrangé la situation.

Ma réaction semblait le rendre sincèrement perplexe. Il se demandait sans aucun doute pourquoi je n'étais pas tombée à genoux devant lui pour le sucer en guise de remerciement. Les hommes !

— J'ai résolu le problème. Ce n'était pas la peine de t'inquiéter avec tout ça.

Je me fis violence pour ne pas l'étrangler.

— C'était mon problème, pas le tien !

— Tu ne m'as pas parlé de ta télépathie partielle, non plus…

— Ça n'avait rien à voir ! Je ne la contrôle pas. Je comptais t'en faire part depuis le début, et quand je l'ai fait, j'ai compris que j'avais eu tort de ne pas t'en avoir parlé plus tôt. Affaire réglée. (Je m'agitai violemment, enroulée dans l'édredon.) Alors que s'éclipser en douce en Europe…

— Je ne fais jamais rien en douce, répondit-il sérieusement.

— Ne mens pas, mon gars, c'est toi qui as inventé le concept !

— Tu connaissais parfaitement ma destination et ma date de retour.

— Tu joues sur les mots ! La question est, mesdames et messieurs…

— À qui est-ce que tu parles quand tu fais ça ?

— Pourquoi est-ce que tu ne m'as pas emmenée avec toi, hein ? Ils étaient sur le point de me renverser, moi : pourquoi ne pas m'avoir laissé la chance de leur faire face et de me défendre ?

Il ouvrit la bouche pour répondre. Aucun son n'en sortit. Soit je l'avais coincé avec ma logique imparable, soit il ne voulait pas admettre qu'il pensait que j'aurais tout fait rater. Dans les deux cas…

— Casse-toi !

— Très bien, répondit-il doucement. Mais tu as dit toi-même que je devais choisir : emménager totalement ou pas du tout.

— Je sais très bien ce que j'ai dit ! (Je donnai un coup rageur au duvet.) Je n'en ai rien à faire pour l'instant ! Si je te regarde plus longtemps, je vais finir par te mettre un coup de pied dans les valseuses ! Maintenant, va voir ailleurs si j'y suis !

Il alla voir ailleurs.

Chapitre 34

— Attends une minute ! cria Jessica en faisant le signe du temps mort. Vous vous êtes réconciliés, mais vous vous êtes encore disputés ?

Je hochai la tête d'un air malheureux.

— Franchement, vous feriez mieux de vous marier le plus vite possible, tous les deux ! Tu parles d'un trac pré-matrimonial ! Vous êtes en train de vous déchirer !

— Mon père pourrait peut-être vous aider, suggéra Laura. Il a conseillé de nombreux couples avant leur grand jour.

Mais bien sûr. Je nous imaginais tout à fait, Sinclair et moi, assis dans le bureau d'un pasteur.

— Merci quand même, Laura.

— Qu'est-ce que tu fais ici ? s'enquit Jessica. (Elle était jalouse de toutes les femmes qui prenaient de mon temps, même de celles de ma famille.) Tu étais déjà là récemment, pas vrai ?

— Je dois encore nourrir George, répondit-elle d'un air lugubre. (Elle releva les manches de son manteau pour dévoiler les nettes traces de morsures sur sa peau rougie.) Il sera bientôt remis d'aplomb.

— Oh ! Tu as fait du bon boulot, alors ! (Mon sourire encourageant dut avoir l'air d'un rictus cynique bien emballé.) Ne t'avise plus d'essayer de le tuer. J'espère que cette expérience t'aura servi de leçon. Etc.

Bon, revenons-en à mon problème : tu peux croire une chose pareille, toi ?

— Eh bien, il est quand même allé en Europe pour empêcher un groupe d'anciens vampires effrayants de venir ici pour te tuer, fit remarquer Jess.

— Tu l'aimes seulement parce que les chèques de son loyer n'ont jamais été refusés.

— Non, je suis sérieuse. Je pensais qu'après avoir surmonté l'autre problème, peu importe de quoi il s'agissait, vous pourriez résister à n'importe quel obstacle.

— Excuse-moi, me murmura Cathie à l'oreille (criant de surprise, je renversai ma tasse de thé), mais si on doit en revenir à un problème, ça devrait être le mien.

— Il y a un fantôme dans la pièce, dis-je à l'attention de Laura et Jess.

— Oh ! non ! Pas encore !

Jessica ne croyait pas en l'existence des fantômes, ce qui était plutôt déplacé pour quelqu'un qui vivait avec des vampires. Malgré tous mes efforts, je n'avais pas réussi à les rendre visibles à ses yeux. Alors elle se contentait de…

— Je m'en vais, annonça-t-elle en se levant pour aller poser sa tasse et sa soucoupe dans l'évier.

Quand Laura fit mine de prendre la parole, je secouai la tête. On attendit en silence que Jessica disparaisse.

— Qu'est-ce qu'il veut ? murmura presque Laura.

— Je l'entends parfaitement, cracha Cathie.

— Elle t'entend parfaitement, traduisis-je. Il s'agit de la dernière victime en date du tueur des parkings.

— Celle qui a disparu ? Mme Scoman ?

— Il y en a une nouvelle ? s'écria Cathie. Putain de merde ! Voilà pourquoi je suis coincée dans cette baraque à essayer de vous enlever les doigts du cul ! C'est exactement ce que je cherchais à éviter ! Sale fils de pute !

— D'accord, pas la peine de crier. (Je me pris le visage entre les mains un instant et frissonnai.) Elle est en colère parce qu'il y a une nouvelle victime.

— Eh bien… une femme a disparu. Elle a été enlevée dans l'allée devant chez elle. Un avis de recherche a déjà été lancé. (Laura essayait visiblement de réconforter la morte qu'elle ne pouvait ni voir ni entendre.) Elle n'a pas encore été retrouvée morte.

— Alors, allons à sa recherche tout de suite !

— Elle veut partir à la recherche du coupable, dis-je à Laura.

— Ça ne m'étonne pas ! Il s'agit bien de Mme Robinson, n'est-ce pas ?

— Oui, oui. Ne perdons pas de temps.

— Attendez, attendez ! (Alors qu'elle se dirigeait vers le mur, Cathie s'arrêta et se retourna vers moi. Laura interrompit sa course vers la porte.) Où est-ce que vous allez ? Vous savez où il habite ? Tout ce que Cathie se rappelle, c'est d'avoir été assommée devant chez elle, ce qui ne nous apprend pas grand-chose. Elle se souvient aussi vaguement d'une vieille bicoque. Puis, quand elle s'est réveillée, elle était morte. Il faut raconter tout ça à Nick…

— Comment ? demanda Laura. Tu as raison, la meilleure chose à faire est d'en parler aux forces de l'ordre. Mais comment est-ce qu'on leur expliquera tout ce qu'on sait ?

— On pourrait leur dire qu'on a reçu une lettre anonyme, ou quelque chose dans le genre.

— Il demandera à la voir. En tout cas, je sais que c'est ce que je ferais, répondit Laura, comme si elle s'excusait de penser aux difficultés qu'on pourrait rencontrer.

— Un coup de téléphone ?

— Pourquoi t'aurait-on contactée ? Ou moi ?

— Parce que Jessica sort avec Nick ?

— Tu pourrais faire semblant d'être une victime qui s'est échappée, suggéra Laura. Puis, tu leur diras tout ce que le fantôme t'a raconté.

— Pas mal, admit Cathie, mais on n'a pas le temps ! Vous ne comprenez pas ? Il ne nous garde pas longtemps : il est mort de peur.

— Peur d'être attrapé ? demandai-je d'un air détaché.

— Non ! Peur de nous, de ses victimes. Il la tuera ce soir et la jettera dans un parking où tout le monde pourra la voir nue et rigolera en la montrant du doigt.

— Personne…, commençai-je choquée.

— C'est ce qu'il pense. Ce qu'il veut. Alors est-ce qu'on peut trouver un moyen d'expliquer la situation plus tard ? Essayons de trouver sa maison.

— Une adresse, quelque chose ?

— Non, mais je me souviens du quartier. Peut-être que la mémoire me reviendra là-bas. Dans tous les cas, ça vaut le coup d'essayer.

— Tu as raison, répondis-je après avoir tout répété à Laura. Ça en vaut la peine.

— Tout de suite ! On y va tout de suite !

— Oui, elle a raison, approuva Laura à son tour. (Je supposai qu'elle disait ça en réponse à mes paroles puisqu'elle ne pouvait entendre Cathie.) Ça en vaut la peine. Dépêchons-nous !

Chapitre 35

— Très très très très très très très très très TRÈS mauvaise idée ! répétai-je.

— Tourne à gauche, ordonna Cathie depuis la banquette arrière. Et arrête de te plaindre. Tu vas finir par me tuer.

— On n'a pas l'étoffe des flics ! Dans cette voiture, je ne vois qu'une secrétaire, une étudiante et une prof d'équitation à mi-temps.

— J'aurais bientôt pu travailler à plein-temps, répondit Cathie. Maintenant que je suis morte, cet enfoiré de Gerry va tout faire pour prendre ma place.

— On aurait dû tout raconter à Nick et le laisser boucler le périmètre avec au moins neuf unités spéciales.

— Peu importe la difficulté que tu aurais eue à t'expliquer, renchérit Laura.

— Et effrayer le coupable avec des types en uniforme courant dans tous les sens ? lança Cathie. Non ! On doit l'attraper nous-mêmes. Tueur des parkings… Tueur de mes deux, oui ! Tourne à gauche !

— Est-ce qu'elle reconnaît quelque chose ? s'enquit Laura.

— Non, répondit Cathie. Mais je ne risque pas d'oublier l'odeur. Je n'avais jamais senti une telle puanteur.

— Il pue ?

— Pas lui : le quartier. Des substances chimiques, comme…

— La raffinerie Glazier ? lis-je sur un panneau en le dépassant.

Au moins deux cents cheminées s'élevaient dans l'air ; il s'en échappait une fumée à l'odeur de pizza artificielle.

À l'arrière, Cathie eut un haut-le-cœur. Les fantômes pouvaient-ils vomir ? J'essayai de rester concentrée sur la route.

— Je suppose que nous sommes au bon endroit.

— Mon Dieu, quelle odeur ! Je me demande pourquoi les policiers ne l'ont pas sentie sur mes… Parce qu'il me les a enlevés avant de les jeter, bien sûr !

— Pourtant, j'aurais pensé qu'il resterait des traces, fis-je remarquer d'un air dubitatif.

— On n'est pas dans *Les Experts*, rétorqua Laura, sans détourner les yeux de la fenêtre. Cela dit, je ne regarde pas cette série… Je ne vois pas l'intérêt de perdre une heure à observer des gens découvrir de nouvelles façons excitantes de s'entre-tuer. Non merci. Il ne s'agit pas de fiction, là, c'est la réalité. On est dans une métropole. Des millions de gens font des millions de choses sur des milliers de kilomètres carrés. J'ai vécu ici toute ma vie, pourtant, je n'avais jamais entendu parler de cet endroit. Quand on le trouvera, ce qu'il leur fait et l'endroit où il les emmène deviendront clairs, mais il faut d'abord lui mettre la main dessus.

— Une minute, les filles ! Je croyais qu'on s'était mises d'accord…

— Je n'ai rien accepté du tout, se défendit Cathie.

— Et que notre mission consistait simplement à rassembler des preuves. Nous avons besoin de quelque chose de concret à montrer à Nick pour qu'il puisse venir ici lui-même. On ne cherche que des indices.

— Et si on le découvre penché au-dessus d'une femme avec un énorme couteau de cuisine ? demanda Laura.

— En fait, intervint Cathie pour clarifier les choses, il nous étrangle. Avec sa ceinture.

Je sentis un frisson me parcourir.

— Dans le pire des cas, on l'arrêtera. Ne t'en fais pas, Cathie, Laura et moi sommes parfaitement capables d'assommer ce type avant d'appeler la police. Je détournerai son attention en le laissant me poignarder plusieurs fois pendant que Laura le passera à tabac. Après, on se servira d'une cabine téléphonique à proximité pour passer un coup de fil anonyme. Si Mme, euh…

— Scoman. Tu as vraiment du mal avec les noms ! me réprimanda gentiment Laura.

— Je sais. Bref. Si elle doit aller à l'hôpital, on l'y conduira. On… Écoutez, on place un peu la charrue avant les bœufs, là. Essayons d'abord de trouver cette satanée maison.

— Il a retiré sa ceinture et m'a étranglée jusqu'à ce que je me chie dessus.

Soudain choquée par la proximité de sa voix, je me rendis compte que Cathie s'était penchée entre les fauteuils pour murmurer à l'oreille de Laura.

— Il agit comme ça parce que c'est un gros lâche qui a peur des femmes. Après m'avoir tuée, il m'a enlevé tous mes vêtements et s'est moqué de mes seins.

— Putain, Cathie ! Je ne dis pas que tu n'as pas le droit de… mais merde !

— Quoi ? fit Cathie depuis sa position initiale, dans le reflet de mon rétroviseur. Je n'ai rien dit, j'observe les maisons.

— Je l'ai entendue cette fois ! s'exclama Laura, excitée comme une puce. Elle parlait de ses seins, entre autres. Je crois que je suis en train d'acquérir un nouveau pouvoir !

— Non, répondis-je en m'en voulant d'avoir pu penser que les choses ne pouvaient pas empirer. Je crois que ta mère est là.

— Quoi ?

— Surprise ! dit Cathie en souriant.

— Mère ! (Laura se retourna dans son siège pour faire face au diable, qui avait emprunté les traits de Cathie, et lui lança un regard assassin.) Je peux y arriver sans ton aide !

— J'en suis persuadée, répondit-elle avec un sourire entendu. Mais pendant un moment, j'ai cru que tu allais céder à la lâcheté : l'assommer et le laisser entre les mains de la police… (Satan leva les yeux au ciel.) Ce serait navrant.

— Retourne en enfer ! cracha Laura.

Serrant les dents, elle s'empara de son épée et – belle performance étant donné qu'elle était coincée sur le siège passager – la planta dans la poitrine de Cathie.

Celle-ci cria aussitôt de douleur.

— Pour qui est-ce que tu te prends, salope démoniaque ?

Laura se tourna vers moi.

— Elle a recommencé à parler ?

— Oh oui ! Ne t'en fais pas.

— Bien.

Alors, l'épée disparut et Laura se retourna. Aucun mot ne fut échangé durant les kilomètres suivants.

Chapitre 36

— Ton épée annule les effets de la magie, lançai-je au bout d'un moment car il fallait bien que l'une d'entre nous rompe le silence.

— Exact.

— Dans ce cas-là, pourquoi est-ce qu'elle n'a pas « tué » Cathie ?

— Je ne sais pas. Jusqu'à présent, je n'ai tué que des vampires avec elle. Quand j'ai essayé d'attaquer un loup-garou, elle lui a fait reprendre forme humaine. La femme était tellement surprise qu'elle s'est enfuie et je ne l'ai plus jamais revue.

— Les loups-garous existent ? s'écria Cathie. Pour de vrai ?

— J'espère que c'est une blague ! Des loups-garous ? Comme si je n'avais pas assez de problèmes comme ça, me plaignis-je.

— Ça n'est arrivé qu'une fois, se défendit Laura. Je suis certaine que tu n'en rencontreras jamais. Ils sont plus rares que les vampires, je suppose.

— Je croise les doigts pour que t'aies raison. Cathie, est-ce que quelque chose te paraît familier ?

— Je n'ai vu que l'intérieur de la maison, répondit-elle d'un ton contrit. Je me souviens de l'intérieur et de l'odeur… C'est tout.

— Ah ! C'est celle-là ! s'écria Laura en désignant un simple pavillon à étage au bout du pâté de maisons.

Il était marron, avec des volets d'un coloris plus foncé. L'allée et les trottoirs avaient été minutieusement balayés.

— Ah bon ? murmura Cathie en se penchant entre nous.

— Comment le sais-tu ? Cathie, ça te dit quelque chose ?

— Seulement l'odeur. Qu'est-ce qui lui fait dire ça ?

Laura laissa échapper un soupir, qui résonna de manière épouvantable à mes oreilles. Elle observait la petite maison comme s'il s'agissait d'un pédophile.

— Est-ce que la maison est noire ? Entièrement noire, même l'allée ? Même la neige autour ?

— Non, répondis-je en même temps que Cathie.

— À mes yeux, elle est noire, expliqua simplement Laura.

Chapitre 37

— Éric ? C'est Betsy. Écoute, ne panique surtout pas, Laura et Cathie… Ce serait trop long de tout te raconter. Sache seulement qu'on pense avoir trouvé la maison du tueur des parkings. On va aller y jeter un coup d'œil. C'est au 4241 Treadwell Lane à Minneapolis. Rappelle-moi dès que tu auras eu mon message. En revanche, je vais mettre mon téléphone sur silencieux au cas où on déciderait de le surprendre, donc ne panique pas si je ne réponds pas, OK ? Je t'aime.

— Satisfaite ? grommela Cathie. Tu peux venir m'aider maintenant ou est-ce que tu as d'autres appels à passer ?

— Hé ! Tu as déjà vu des films d'horreur, non ? L'héroïne ne dit jamais à personne où elle se rend ! C'est exaspérant ! Ou si elle se souvient qu'elle a un téléphone, la batterie est à plat. Ou elle ne capte pas.

— Ou son fiancé est déjà en ligne et ne répond pas, ajouta Laura pour me taquiner.

— Toi, la ferme. Et range ça tant qu'on n'en a pas besoin.

— J'espère que ce ne sera pas le cas, dit-elle tandis que nous sortions de la voiture, garée à quelques dizaines de mètres de la maison. Mon épée annule les effets de la magie. Elle est inutile face à des gens normaux. Des humains, je veux dire.

— Oh !

— Je voulais te demander…, murmura-t-elle tandis que nous nous faufilions vers la maison à étage.

Cathie courait à travers les mottes de neige, littéralement, en nous suppliant de nous dépêcher – « putain ! »

— Je remercie le ciel chaque nuit que mon épée ne t'ait pas blessée, mais je ne comprends pas pourquoi. Elle aurait dû te tuer.

Je haussai les épaules.

— Aucune idée, ma belle. Une chose à la fois, tu veux ?

— Oh ! OK.

— Maintenant, n'oublie pas, murmurai-je en jetant un coup d'œil par l'une des fenêtres à l'avant. On est là pour chercher des preuves. Et sauver la femme si elle est bien ici.

— Et s'il n'y a que le meurtrier ? s'enquit Laura.

— Tu sauras le reconnaître ? demandai-je à l'intention de Cathie.

— Un peu, oui !

— Très bien. Alors dans ce cas-là, on fera marche arrière et on appellera la cavalerie.

— Et s'il s'échappe avant…

— Une chose à la fois, je t'ai dit ! On ne sait même pas s'il y a quelqu'un à l'intérieur.

— Le salon est vide en tout cas, fit remarquer Laura.

— Attendez-moi une minute, lança Cathie avant de traverser la fenêtre.

Pendant qu'elle explorait la maison, on tenta de se faire toutes petites, à la vue de tous, au milieu de la pelouse. On devait avoir l'air complètement idiotes, moi du moins. Elle ressortit finalement par le garage.

— Il n'est pas là, mais il y a une femme au sous-sol !

— Soulève la porte du garage, suggéra Laura.

— Tout est verrouillé ! gémit Cathie.

— Je suis certaine de pouvoir la soulever..., commençai-je.

— On ne peut pas faire ça, protesta Laura. Il va s'en apercevoir !

— Et alors ? Une grosse frayeur lui ferait le plus grand bien. Il commettra peut-être une erreur.

— Ou alors il va s'enfuir et on ne l'attrapera jamais.

— On ne peut quand même pas laisser cette pauvre femme toute seule dans le noir et convaincue qu'elle va mourir !

— Bien parlé ! s'exclama Cathie. Que l'une d'entre vous casse quelque chose pour entrer ! Je ne peux rien faire d'autre que hanter les lieux en criant « Bouh » ! Pour l'amour du ciel !

M'emparant d'une des briques qui bordaient l'allée, je la lançai contre la fenêtre. Le bruit ressembla à une explosion. Et je ne vous parle même pas des dégâts. Sous le choc, Cathie et Laura me dévisagèrent.

— Comme ça, il croira peut-être que c'est une blague de sales gosses. (Pas très convaincant, mais je n'avais pas de meilleure explication.) Il ne pensera pas tout de suite aux flics en voyant une vitre brisée.

— Oh ! Bien joué, dit Cathie d'un ton approbateur en flottant dans la maison.

Laura se hissa prudemment à travers la fenêtre et pénétra dans le salon.

— Fais attention aux morceaux de verre, la prévins-je avant de m'entailler profondément avec l'un d'eux.

Je laissai échapper un juron. Heureusement, je saignais comme je lisais : très lentement.

— En bas ! cria Cathie qui venait de disparaître au travers d'une porte close.

Le plus drôle dans l'histoire, c'est que je commençais à m'habituer à l'odeur de la raffinerie. On sillonnait le quartier en voiture depuis vingt bonnes minutes, après tout. Toutefois, Cathie avait raison, la puanteur couvrait tout le reste. S'il tuait vraiment des femmes dans son sous-sol, je ne pouvais pas le sentir depuis la cuisine. Je ne sentais même pas la cuisine dans la cuisine, c'est pour dire.

On se précipita dans l'escalier qui se révéla, évidemment, sombre et effrayant... jusqu'à ce que Laura trouve l'interrupteur. Alors, des rangées de néons clignotèrent et, dans un coin éloigné de la pièce, apparut une femme avec des cheveux blonds courts et désordonnés, attachée et bâillonnée avec du Scotch d'électricien. Pas la peine de préciser que ses vêtements étaient dans un sale état.

— Ah ! s'écria Cathie, en passant à travers le poêle à bois avant de décrire des cercles autour. Je vous l'avais dit ! Je vous l'avais dit !

— Tout va bien, souffla Laura en s'approchant de la victime. Vous êtes en sécurité à présent. Euh... ça risque de piquer un peu. (Elle arracha le bâillon d'un coup sec.) C'est comme les pansements, expliqua-t-elle. On ne peut pas le faire petit à petit.

— Il va revenir... pour me tuer ! hoqueta Mme Scoman (Ou du moins, je supposais qu'il s'agissait d'elle.) Il a dit qu'il utiliserait sa meilleure amie pour me tuer !

Tout à coup, elle se plia en deux et vomit sur les chaussures de Laura.

— Tout va bien, répéta ma sœur en frottant le dos de la femme terrifiée. Vous avez vécu une nuit difficile.

— Si c'étaient mes chaussures, murmurai-je à Cathie, je n'aurais pas été aussi gentille avec elle.

— Oui, mais ta sœur est cinglée, répondit Cathie en balayant le Chaussure Gate d'un geste de la main.

Même si je ne la connais que depuis quelques jours, je m'en suis déjà aperçue !

— Elle est gentille et... différente ! rétorquai-je sur la défensive. Ce n'est pas pour ça qu'elle est cinglée !

— Fais-moi confiance : j'ai été tuée par l'un d'entre eux, je sais les reconnaître.

— Retire ça tout de suite ! Tu ne peux pas mettre quelqu'un comme Laura dans le même panier que le tueur des parkings.

— Vous voulez bien arrêter toutes les deux ? cracha Laura en se battant avec le ruban adhésif. Vous faites peur à Mme Scoman ! Et je n'ai rien à voir avec le tueur des parkings.

— Je veux sortir d'ici, c'est tout, marmonna-t-elle. Vous ne pouvez pas imaginer à quel point ! Ne détachez que mes pieds. Je me moque de mes mains. Je peux courir même si elles restent attachées.

Un bruit attira alors mon attention.

— Dépêche-toi, dis-je à Laura. Le... Il faut partir tout de suite !

Cathie disparut à travers le plafond.

— Quoi ? s'enquit Laura.

Je tentai de déchirer les liens de Mme Scoman par petits coups – je ne voulais pas la blesser.

— La porte du garage est en train de s'ouvrir, expliquai-je brièvement.

Cathie réapparut dans le sous-sol.

— Il est de retour ! Et il panique à mort. Il n'arrête pas de marmonner quelque chose à propos de « ces sales gamins ». Je ne sais pas du tout ce que ça veut dire.

— Dépêchez-vous ! murmura Mme Scoman.

— S'il vous plaît, ne me vomissez pas dessus. Si je tire plus vite ou plus fort, je risque de vous briser les os des mains.

— Ça m'est égal ! Occupez-vous de mes pieds ! Cassez-les, coupez-les s'il le faut, mais sortez-moi d'ici !

— Carrie ? Tu as des amis en bas avec toi ? Carrie ?

— Super ! marmonnai-je. Comme prévu, l'assassin est cinglé à en donner la chair de poule.

Cathie désigna l'homme qui descendait les marches d'un signe de la main. Je ne pouvais pas le voir : nous étions pratiquement sous l'escalier.

— *Game over*, fils de pute ! lança-t-elle en guise d'accueil.

Décidément, j'aimais beaucoup le style de cette nana.

— Pourquoi est-ce que personne n'a pensé à apporter un couteau ? demanda Laura.

— Parce qu'on n'est pas n'importe qui : on est la reine des vampires et la fille du diable. On n'a pas besoin de couteaux. Sauf si, bien sûr, le méchant décide d'attacher ses victimes avec du Scotch. Dans ce cas-là, on est dans la merde.

Après avoir enfin réussi à lui détacher les pieds, je me concentrai sur ses poignets. Elle essaya de se relever, mais je la repoussai fermement par terre : elle aurait dû passer devant le tueur pour s'échapper.

— Ne vous inquiétez pas, lui dis-je. On s'en occupe. On n'est vraiment pas n'importe qui… Enfin, peu importe. Vous serez bientôt libre.

Le tueur posa le pied dans le sous-sol. Et nous vit. Toutes sauf Cathie, bien sûr. D'abord surpris, il se remit rapidement de ses émotions.

— Carrie, je te l'ai répété cent fois : tu n'as pas le droit d'inviter tes amis à la maison pendant la semaine.

— Je ne m'appelle pas Carrie, murmura Mme Scoman sans le regarder.

Cathie avança jusqu'à se fondre en lui.

— Trou du c… ! Connard ! Tyran ! Enfoiré ! l'insulta-t-elle à l'intérieur de sa propre tête. Loser ! Puceau ! Abruti ! Demeuré ! Mon Dieu, ce que je ne donnerais pas pour avoir un corps !

— Ce n'est pas toujours l'éclate, tu sais, marmonnai-je.

— Je n'arrive pas à croire que le visage de ce demeuré soit la dernière chose que j'aie vue !

— Vous n'êtes pas les sales gosses du quartier ! s'exclama le psychopathe décérébré, l'air perplexe. Je croyais que les gamins du bout de la rue avaient encore brisé ma vitre !

— Bingo ! fis-je dans ma barbe, tout en continuant à tirer. Qu'est-ce que je vous avais dit ?

— Oui, oui, tu as eu une bonne idée, rétorqua Cathie. Rappelle-moi pourquoi tu n'as pas encore appelé la police ?

— Pourquoi avez-vous tué ces femmes ? s'enquit Laura comme si elle lui avait demandé la raison pour laquelle il avait préféré la voiture bleue à la rouge. Pourquoi avez-vous enlevé Mme Scoman ?

— Parce qu'elles m'appartiennent ! expliqua-t-il.

On aurait dit qu'il parlait d'un tee-shirt. Personnellement, leur attitude calme et civilisée à tous commençait à me donner la chair de poule. Je sentais les ennuis approcher à grands pas. Pas étonnant, étant donné les circonstances… Il n'empêche que ça me rendait aussi nerveuse qu'une chatte en chaleur.

— Elles m'appartiennent toutes ! Carrie l'a oublié. Il faut que je le lui rappelle.

— Foldingue, toussai-je dans mon poing.

— Les avez-vous vraiment..., commença Laura avant de se reprendre. Les avez-vous vraiment étranglées jusqu'à ce qu'elles se fassent dessus ? Vous êtes-vous moqué d'elles après leur avoir volé leurs vêtements ?

— Laura, il est cinglé ! Il ne va pas te répondre directement ! Regarde-le !

Malheureusement, ça ne servait pas à grand-chose : il ressemblait à un avocat plutôt décontracté qui rentre du travail. Jolie chemise bleue et propre. Pantalon droit. Mocassins. Rien à voir avec le psychopathe qu'il était en réalité...

Jusqu'à ce qu'il ouvre la bouche et se trahisse :

— Ça m'énerve quand je leur enlève le soutien-gorge et que je me rends compte qu'elles n'ont rien d'intéressant en dessous. Elles peuvent mentir sur n'importe quoi mais, au moins, qu'elles soient honnêtes à propos de leurs nichons. C'est ce que mon père disait toujours. Sinon, ça revient à tromper sur la marchandise !

Il avait à peine fini sa tirade qu'il était déjà mort : Laura s'était emparée d'une bûche sur la pile près du poêle et s'en était servie pour lui briser le crâne. Je hurlai. Mme Scoman m'imita. Même Cathie y mit du sien, mais elle avait l'air plutôt satisfaite de la tournure des choses. Pas moi. J'avais sombré en enfer. Et je crois que Mme Scoman partageait mon avis.

Chapitre 38

Je me servis de mes pouvoirs de vampire pour faire croire à Mme Scoman qu'elle s'était enfuie et lui faire oublier la mort de l'assassin. Je lui rappelai également d'aller parler à Nick et de donner l'adresse de la maison aux policiers. Nous pensions qu'elle allait s'en sortir. Après tout, elle n'avait pas le sang du meurtrier sur les mains… il recouvrait entièrement Laura!

— Je dois avouer, dis-je sur le chemin de la maison, que je suis un peu inquiète.

— J'ai perdu mon sang-froid, répondit Laura en regardant par la fenêtre de la voiture. Je suis la première à l'admettre.

— Cinglée! chantonna Cathie, assise sur la banquette arrière.

— Ça, c'est encore un autre problème, rétorquai-je. (Je lui jetai un regard assassin dans le rétroviseur.) Tu aurais dû disparaître et aller au paradis, enfin, l'endroit où vont les gens quand je leur ai rendu justice!

— Je sais. Mais j'aime bien tout ça!

— Quoi?

— Ça! fit-elle en passant les mains à travers mon crâne. (Je frissonnai si fort que la voiture fit un écart.) On m'a volé ma vie! Répète après moi: « Avenir prometteur, tu nous as quittés trop tôt. »

— Oui, mais… (Je m'interrompis pour trouver les mots justes.) Tu es morte. Ton temps est révolu.

— C'est toi qui oses dire ça ? Et puis, je vous ai bien aidées, je vous signale ! Si je n'étais pas entrée dans la maison en premier, vous seriez encore plantées dans le jardin comme deux couillonnes. Je pense que je pourrais vous être très utile. Quoi qu'il en soit, je compte rester dans les parages.

— Oh ! Bonjour le cadeau !

— Quoi ?

— Rien. Bienvenue dans l'équipe ! m'exclamai-je sur un ton faussement enjoué.

— Elle est toujours là ? s'enquit Laura. C'est bizarre…

— N'essaie pas de changer de sujet ! Tu as tué un homme. Il était planté là et tu l'as tué !

— Tu l'as tué jusqu'à la mort ! confirma Cathie. Comme une grosse tapette à souris blonde ! Ta sœur est cinglée, mais là, tout de suite, je suis carrément amoureuse d'elle.

— Toi, reste en dehors de ça.

— Si on y réfléchit, c'est à cause de moi qu'on en est arrivées là, confessa Cathie.

— Peu importe ! Laura, à quoi est-ce que tu pensais ?

— J'étais simplement très très très très en colère. Je ne pouvais pas supporter l'idée qu'il continue à se balader dans la nature et respirer le même air que les gens que j'aime.

Au moins, elle marquait un point pour son honnêteté.

— Laura, ça ne marche pas comme ça. Je ne sais pas si c'est un mauvais mois pour toi ou si certaines prophéties commencent à se réaliser, mais je dois avouer que je m'inquiète. Regarde-moi, par exemple : je suis un vampire, mais je ne passe pas mon temps à…

Bon, d'accord, ça m'arrive. Ce que je veux dire, c'est que ça n'a rien à voir.

— Je sais que j'ai eu tort, admit Laura en écarquillant ses grands yeux bleus. Mais tu dois reconnaître que maintenant, il aura du mal à étrangler des femmes avec sa ceinture. Pas vrai ?

Elle souriait presque. Et n'était-ce pas un éclat vert dans ses yeux ?

Je préférai mettre ça sur le compte de mon imagination.

Je ne savais pas quoi dire ni faire : après tout, je n'étais pas non plus blanche comme neige. Heureusement, toute tentative de conversation fut interrompue par un appel de phares de la Mustang bleue qui nous suivait. Elle se rapprocha jusqu'à toucher pratiquement mon pare-chocs. Puis, mon téléphone portable se mit à vibrer.

— Les morts aussi ont droit aux amendes pour excès de vitesse ? demanda Cathie.

— Ce n'est pas un flic, c'est mon fiancé !

Je fredonnai les premières mesures de *My Boyfriend's Back* avant de répondre au téléphone.

Chapitre 39

— Éric, il s'agissait juste d'un type ordinaire, cette fois ! Ce n'est pas comme si j'avais été roulée par des vampires ou plongée au sein d'un complot !

Il plaça ses mains derrière son dos. La raison était simple : il voulait éviter de m'étrangler.

— D'où te vient cette aversion à attendre mon assistance ?

— Ce n'est pas de l'aversion. Tu n'es jamais là quand j'ai besoin de toi, c'est tout. Euh… Ça sonnait beaucoup mieux dans mon esprit. Je t'ai appelé, je te rappelle. Ce n'est pas ma faute si tu n'as pas répondu.

— J'étais libre vingt secondes plus tard ! T'était-il physiquement impossible d'attendre moins d'une demi-minute ?

— Pour tout te dire, j'aurais préféré, parce qu'en fait… commençai-je avant de fondre en larmes.

— Elizabeth ! Ne pleure pas ! (Il me prit dans ses bras.) Est-ce que j'ai crié ? Je ne m'excuserai pas de m'être inquiété pour toi. Laisse-moi clarifier les choses : je me faisais du souci. Je ne suis pas en colère.

— Ce n'est pas ça… C'est Laura ! Elle a tué l'assassin.

— Et… quel est le problème ?

— La façon dont elle l'a fait. Il ne nous a pas attaquées, ni rien. Il se tenait simplement devant nous. Il y avait toutes ces bûches au sous-sol parce qu'il a – avait – un poêle. Alors, elle s'est penchée pour en attraper une et elle l'a attaqué avec ! J'ai entendu un craquement, j'ai entendu son crâne se briser ! (Je tremblais comme une feuille.) Et son cerveau… Tu savais que les cerveaux étaient roses et blancs ? Pas la peine de répondre ! lui ordonnai-je entre deux sanglots. Tout a dégouliné. Puis… il est mort. Le pire, c'est qu'elle s'en moque éperdument ! Elle a juste dit qu'elle avait perdu son sang-froid.

— Je… je comprends ton inquiétude, répondit-il après avoir réfléchi un instant à la situation. Je dois admettre que… je me suis débarrassé de… d'un bon nombre de poids pour la société en mon temps. Toutefois, Laura semble…

— Passer du côté obscur de la force ?

— Quelque chose dans le genre, approuva-t-il. Cela dit, il reste indéniable qu'elle a sauvé des vies.

— C'est certain. Je suppose que ce demeuré des parkings n'attaquait que des blondes à cheveux courts car quand il était ado, cette fille appelée… Laisse tomber, c'est effrayant et stupide à la fois. Dire qu'il parcourait la ville en voiture en attendant que le type de filles qu'il cherchait soit au bon endroit au bon moment ! Comment est-ce qu'une chose pareille peut arriver dans un monde sensé ? Si ces femmes avaient rangé leurs courses dix minutes plus tard, elles seraient encore en vie.

— Laura et toi faites partie d'un monde sensé, fit-il remarquer. Vous faites respecter l'ordre.

— Je ne pense vraiment pas que nous devrions utiliser cette tactique pour lui en parler, tu sais. (Je reculai légèrement pour pouvoir le regarder dans les yeux.) Tu vois ? Je suis rentrée directement pour tout te raconter et on en parle comme des personnes responsables.

— Je t'ai suivie ici pour m'en assurer, me rappela-t-il.

— Voilà ce que font les couples : ils com-mu-ni-quent ! Retiens bien ce mot, Sinclair, et entraîne-toi à t'en servir.

— Je me repens de mes fautes. (Il n'avait pas l'air de souffrir sous le poids de la culpabilité.) Pour en revenir à ta sœur…

— Je ne sais pas quoi faire. Est-ce que je peux vraiment lui dire que tuer, c'est mal ? Bien sûr que c'est mal. Tout le monde le sait. Elle y comprise. Mais ça ferait de nous les plus gros hypocrites du monde. Et puis, ce n'est pas comme si elle avait tué un gentil petit scout. Elle a rendu service à la société. Qu'est-ce qu'on peut lui dire, dans ces conditions ?

— Que tu la surveilles, répondit-il doucement. On va tous la surveiller.

— Je crois que je préfère la tactique du « on sera là pour toi », pour le coup.

— Comme tu voudras. Maintenant, viens ici, chérie. Assieds-toi. (Il commença à me masser les épaules et je m'assis sur le lit.) Tu as eu une semaine difficile, n'est-ce pas ?

— Elle est passée au rang de pire semaine de ma vie, gémis-je.

— Eh bien, comme nous avons décidé de tout nous dire, il faut que je t'avoue quelque chose.

Soupirant, je posai la tête contre son épaule.

— Qui est mort ?

— Le *Star Tribune* a découvert l'existence de ta rubrique « Chère Betsy ».

— Quoi ? m'exclamai-je en relevant la tête. Il n'y a eu que… quoi ? Deux lettres ? Je croyais que c'était impossible ! Personne n'était censé avoir accès à la newsletter !

— En théorie. Marjorie est folle de rage. Je peux t'assurer que des têtes vont tomber. Littéralement, sans doute. Il y a plusieurs explications possibles : soit le journaliste du *Tribune* est un vampire, soit une entreprise humaine a réussi à pirater la newsletter et a revendu l'information à la presse.

— Alors… Qu'est-ce qui va se passer maintenant ?

— Heureusement, les lecteurs ne semblent pas prendre cette histoire au sérieux. L'éditeur a pensé à une blague, les lecteurs ont trouvé ça drôle… et les vampires ne bronchent pas.

— Si je comprends bien, seule une poignée de personnes sait qu'il s'agit vraiment d'une vraie lettre qui s'adresse à de vrais vampires ?

— Exactement. Et comme la réputation de Marjorie est remise en cause, elle remue ciel et terre pour trouver le coupable de la fuite. Je suis persuadé que des réponses ne tarderont pas à apparaître.

— Bien… Les choses pourraient être pires.

— Je préfère te prévenir : elles risquent de le devenir.

Je me laissai tomber sur le lit en grognant.

— Tu me punis pour cette histoire de « on se raconte tout », pas vrai ?

— Ma chérie, tu sais très bien que je ne vis que pour répondre à tes moindres attentes. Auparavant, je faisais tout mon possible pour te soulager de tes fonctions de souveraine. Aujourd'hui, j'ai compris que je ne faisais que refréner ton potentiel. Cette époque est révolue ! déclara-t-il alors que je gémissais d'horreur. Auparavant, je pensais que la discrétion était de mise…

— Tu racontes des bobards pour te foutre de ma gueule.

—Aujourd'hui, je pense que tout doit être exprimé clairement, à tout moment.

—Écoute, j'ai compris que tu n'avais pas de mauvaises intentions quand tu me cachais des choses. Tu ne peux pas t'en empêcher, c'est tout.

—Ah! Mais à partir de maintenant, je m'en empêcherai.

—Je sais que tu aimes prouver ta valeur en faisant les choses pour moi.

Il renifla bruyamment.

—Je n'irais pas jusque-là...

—Ce n'est pas ta faute, c'est l'amûûûr!

—Suffit! J'oubliais de te dire: Jon a pratiquement retranscrit l'intégralité de vos petits tête-à-tête.

—Je croyais que c'était comme un essai?

—Apparemment, ça se transforme en livre, très chère. Environ trois cents pages au dernier compte.

—Ah oui? Il t'en a parlé de lui-même?

—Il est possible que j'aie demandé à Tina de pirater son smartphone, avoua-t-il.

—Génial! Rien d'inhabituel, en somme.

—Avec la découverte de ta rubrique par le *Tribune*...

—Quel rapport? Je croyais que tout le monde pensait que c'était une blague.

—Je me suis entretenu seul à seul avec Jon et je l'ai persuadé qu'il n'avait jamais écrit ce livre, qu'il n'en avait jamais eu l'idée et qu'il ne s'était jamais intéressé à l'histoire de ta vie.

—Oh! mon Dieu!

—Puis, je l'ai effacé.

—Sinclair! Oh! merde... (Je me pris le visage entre les mains.) Je sens que ça va mal finir.

—Tu peux hurler. Je t'en prie.

Je tentai de contrôler mes émotions. *Il a agi par amour. Un amour étrange et totalement à côté de la plaque, mais par amour quand même. Il essaie de te protéger. De façon étrange et totalement à côté de la plaque…*

— Éric, ce que tu as fait est mal. Très mal même. Je crois qu'après ce que Jon a sacrifié pour nous, tu devrais annuler ton tour de passe-passe.

— Mais je me suis vraiment appliqué, m'expliqua-t-il patiemment, comme si je n'avais pas bien saisi ce qu'il avait fait. Pour qu'il oublie tout.

— Et maintenant, tu vas faire en sorte qu'il se souvienne ! Il risque de rater son année de fac à cause de ça. Tu tiens vraiment à le voir déprimer comme une loque dans la maison parce qu'il a eu un zéro en bio, ou peu importe comme s'appelle cette matière ? Et puis, j'ai accepté qu'il le fasse. Donc si tu utilises tes manières sournoises pour tout annuler, ça donne une mauvaise image de moi. Très mauvaise même.

Il me dévisagea un instant.

— Je dois admettre, dit-il enfin, que je n'avais pas vu les choses de cette façon. Ton autorité ne devrait pas être remise en cause. Même par moi.

« Surtout par toi ! », faillis-je répliquer, mais cette conversation attendrait.

— Tu veux bien tout remettre dans l'ordre ?

— Je vais essayer, répondit-il. Pour rester dans l'esprit des révélations, je dois t'avouer que j'ignore si ça va fonctionner. Je n'ai jamais essayé d'annuler l'effet de mes tours de passe-passe, comme tu les appelles.

— Quoi ? Tu n'as jamais fait une seule erreur dans ta vie ?

Il sourit.

— Si, mais personne n'a jamais pris la peine de me demander de les rectifier. Personne n'a jamais osé.

— Je comprends mieux pourquoi tu as mauvais caractère.

— C'est peut-être lié, admit-il en me prenant dans ses bras.

Je me débrouillai pour me retrouver à califourchon sur lui.

— Je ne sais pas toi, mais je ne me suis pas nourrie depuis des jours.

— Tu étais occupée, fit-il avant de grogner car j'avais trouvé – et ouvert – sa braguette. Je dois avouer que je ne pensais pas que j'apprécierais cette règle de transparence totale que tu as instaurée... ah... surtout ne t'arrête pas...

— Tu me fais rire, rétorquai-je.

— C'est un ordre de ton roi !

— Arrête ! Je rigole tellement que je vais rouler sous la table, me moquai-je en me laissant glisser par terre, tout en tirant son pantalon avec moi.

Je lui retirai également ses chaussettes. Puis, à bout de patience, je lui arrachai son boxer jusqu'à ce qu'il n'en reste que des lambeaux de coton. Alors, je pris son sexe d'une main ferme et le repoussai sur le côté pour mordre dans son artère fémorale.

Aussitôt, je sentis ses mains plonger dans ma chevelure, les poings serrés suffisamment fort pour me faire presque mal. Presque. Il était très doué pour ce genre de choses. Il savait parfaitement comment frôler les bornes sans les dépasser. Je tentai de ne pas penser aux années d'entraînement qui l'avaient amené à ce résultat.

Son sang frais et salé se déversait dans ma bouche à un rythme presque trop soutenu. Pour la première fois depuis des jours, la soif ne me tiraillait plus de façon malsaine.

Tandis que je buvais directement à la source, je sentis son sexe se contracter dans ma main… Je le sentis se laisser aller, littéralement sans défense dans ma main, pour me laisser contrôler la situation. Il se répandit sur les draps.

Je t'aime. Je t'aime. Je t'aime.

De quoi me faire oublier la pire semaine de tous les temps.

Chapitre 40

— Tu n'as même pas à aller chez le fleuriste. Je te le promets. J'ai tout un catalogue rempli d'images à te montrer.

— Chérie, je fais entièrement confiance à tes goûts en la matière. Je suis sûr que ce que tu choisiras conviendra parfaitement à cette… merveilleuse occasion.

— Tu mens ! Tu penses que j'ai des goûts de chiottes !

— Je suis persuadé, répondit Sinclair sans se démonter, de n'avoir jamais utilisé ces termes.

À peine entrée dans la cuisine pour prendre je-ne-sais-quoi, Tina fit demi-tour illico.

— On ne bouge plus ! m'écriai-je. J'ai deux mots à te dire, à toi aussi.

— Comment puis-je vous servir, ma reine ? demanda-t-elle d'un air innocent.

Quand elle le voulait, elle pouvait passer pour une gamine de seize ans.

— Et si tu commençais par arrêter de pirater les ordinateurs de mes amis pour aider Sinclair à bouffer trois cents pages Word ? Qu'est-ce que tu en penses ?

Tina jeta un coup d'œil à Sinclair, qui semblait absorbé par les pages boursières du *Wall Street Journal* comme s'il venait de découvrir leur existence. Le message était clair : « Débrouille-toi ».

— Écoute, je sais que tu es l'homme de main du roi – façon de parler – et que tu ne lui refuses jamais rien, mais…

— Ce n'est pas le problème.

— Hein ?

— Pas entièrement en tout cas, avoua-t-elle. Si je peux me permettre, Majesté, je ne pense pas que ce petit projet scolaire soit de bon goût. Vous avez beaucoup d'ennemis, vous savez ?

— Comme si je ne le savais pas, rétorquai-je en les assassinant tous les deux du regard…

Ils formaient vraiment un duo diabolique, quand ils s'y mettaient.

— Je veux parler d'ennemis humains. Pourquoi leur faciliter les choses ? Ce n'est pas être malhonnête que de rester discret.

À les écouter, ces deux-là semblaient avoir la science infuse.

— Ne mêle pas mes amis à tout ça, c'est tout. J'en ai déjà parlé à Sinclair et il m'a promis d'annuler les effets de « vos paupières sont lourdes, très lourdes ! »

— C'est vrai ?

— C'est vrai, répondit Sinclair derrière son journal.

— L'amour ! lança Tina d'un air éberlué. Ça a vraiment des effets incroyables.

— Ça suffit, Tina.

— Oui, mon roi.

Tâchant de dissimuler son sourire, elle se saisit du courrier et s'éclipsa.

— Quant à toi : tu n'as même pas à choisir les fleurs que tu aimes. Tu n'auras qu'à me montrer celles que tu détestes le plus, que tu ne supportes pas, et je ferai tout mon possible pour qu'il n'y en ait pas lors du grand jour.

— Chérie…, fit-il en tournant une page de son journal. Je n'ai pas de sentiments aussi forts envers les fleurs.

— Tu as grandi dans une ferme ! Tu dois bien avoir des préférences.

— Chérie, j'ai un pénis… donc, je n'ai aucune préférence.

— Quand est-ce que vous comptez vous y mettre, ton pénis et toi ? demanda Jessica qui venait d'entrer à la seconde où Tina avait disparu. Contente-toi de faire ce qu'elle te dit. Ça ira beaucoup plus vite. Pour tout le monde.

— Tu montres les choses sous un jour tellement plus agréable, Jess !

— Ce n'est pas agréable, Bets. Pour personne, sauf pour toi.

Tirant une chaise, elle s'assit près de nous. Sinclair l'observait avec intérêt.

— Enfin quelqu'un qui ose le dire à voix haute, lança-t-il.

— Éric, elle planifie son mariage depuis le lycée. Sans rire ! Elle achetait déjà le magazine *Mariage* à la fac. Elle me montrait la robe, le gâteau, le costume, les fleurs… Elle avait même choisi les noms de vos enfants. Et elle continue.

— Hé ! protestai-je. Ça fait des années que je n'ai pas lu ce magazine. Un an. Six mois… Ne nous éloignons pas du sujet. Sinclair ? Tu vas bien ? Tu es encore plus pâle que d'habitude.

— Oui, oui, tout va bien, répondit-il en souriant. (Mais je n'étais pas aveugle : les révélations de Jessica l'avaient secoué.) Tu te rends compte qu'après ce… mariage… tu t'appelleras également Sinclair ?

Oh. Mon. Dieu ! J'avais pourtant réussi à ne plus penser à ce problème majeur jusqu'à présent. Avec tous les fantômes et les tueurs en série dans mon entourage, ça n'avait pas été difficile, mais voilà qu'il était de retour, menaçant mon esprit comme une énorme fleur morte. Je demeurai pétrifiée d'horreur pendant une seconde avant de me reprendre.

— Sûrement pas ! Je garde mon nom.

— Hors de question.

— Va te faire voir !

— Oups ! marmonna Jessica.

— Si j'accepte de me soumettre à cette cérémonie ubuesque, le moins que tu puisses faire, c'est de devenir Mme Elizabeth Sinclair !

— Qu'est-ce que ça veut dire « ubuesque » ? demandai-je, méfiante.

— Joyeux ! répondit Jessica du tac au tac.

— Oh ! OK. Écoute Sinclair, je sais que du haut de ton million d'années, tu ne peux pas t'empêcher d'agir comme un vieux porc chauvin, mais tu vas devoir te faire une raison : on est au XXIe siècle, au cas où tu ne l'aurais pas remarqué. Les femmes ne sont plus obligées de perdre leur identité au profit de celle de leur mari.

— La raison principale du mariage est…, commença Sinclair avant de s'interrompre.

Il tourna la tête vers la porte. Jessica l'imita. Je ne comprenais pas ce qui les avait mis en alerte : il ne s'agissait que de Laura. À ce que je sache, malgré les récents événements, elle était toujours la bienvenue chez nous.

Poussant la porte, elle pénétra dans la pièce.

— Bonsoiiir ! Je peux entrer ?

Jessica la détailla des pieds à la tête.

— Qu'est-ce que tu fabriques ici ?

C'est alors que je compris. Nous étions samedi soir : ce jour-là, Laura se rendait à la messe. Elle avait toujours dit que ça lui permettait de voir les choses plus clairement. Et puis, elle pouvait faire la grasse matinée le lendemain.

Haussant les épaules, elle tira une chaise pour s'asseoir.

— Oh ! Vous savez… Je n'avais simplement pas envie d'y aller ce soir.

Abasourdie, je ne pus m'empêcher de la dévisager.

— Pour la première fois de ta vie ? Tes parents vont me tuer ! Ils vont croire que j'exerce une mauvaise influence.

— Et ils auront raison, rétorqua Jessica.

— Ce n'est pas la peine d'en faire tout un plat. J'irai peut-être demain.

— Excuse nos manières, reprit Sinclair. Tu es tellement… pieuse, d'habitude, que nous avons été surpris de te voir ici alors que tu es censée te trouver… ailleurs.

— Ce n'est pas la peine d'en faire tout un plat, répéta-t-elle.

Cette fois, tout le monde entendit la menace latente.

Heureusement (?), George le Monstre choisit cet instant pour entrer dans la cuisine. Quelqu'un avait-il organisé une fête sans me prévenir ?

— Qu'est-ce qu'il fabrique ici ? s'enquit Jessica. Et dire que j'ai failli renoncer à mon verre de lait. J'aurais pu rater tout ça.

— Je ne sais pas, répondis-je en observant attentivement George.

Traînant une couverture à moitié crochetée derrière lui, il s'assit sur un tabouret de la cuisine et but mon thé – c'était la première fois qu'il montrait un intérêt pour autre chose que du sang – avant de tout recracher et de se remettre à l'œuvre.

Laura s'éclaircit la voix.

— Je voudrais en profiter pour m'excuser, M. George, à propos de l'autre nuit. L'envie de me battre me démangeait parce que j'étais en colère contre quelqu'un d'autre. Ce n'est pas une très bonne excuse. Ça n'en est pas une du tout. Alors je voudrais vous demander pardon. Je suis vraiment, vraiment désolée. Je vous demande pardon à vous aussi, Betsy et Éric, pour avoir touché l'un de vos sujets.

Haussant les épaules, je me contentai de marmonner ma réponse :

— Comme si ça changeait quelque chose.

Visiblement habitué à ce genre de situations, Sinclair s'occupa royalement de l'affaire.

— N'y pense plus, très chère Laura. Nous savons tous qu'en temps normal, tes actions sont irréprochables.

« En temps normal », je ne te le fais pas dire…

— Il a meilleure mine depuis qu'il a bu mon sang, fit-elle remarquer.

Sans blague ? Je dus me faire violence pour ne pas me taper le front. Bien sûr qu'il allait mieux ! Si mon sang de reine avait des effets positifs sur lui, allez savoir ce que le sang d'un rejeton du diable pouvait lui faire. Il était sûrement capable de remplir ma déclaration d'impôt à présent.

— C'est la laine que je lui ai apportée la semaine dernière, observa Jessica en jetant un coup d'œil à la couverture lavande qui aurait presque pu recouvrir mon lit. Il va sûrement en manquer. J'irai faire un tour au magasin pour lui en racheter.

— Du rouge, s'il te plaît, demanda George.

Pandémonium. Chaos. On eut beau le soudoyer, l'amadouer… Sinclair éleva la voix ; je le suppliai. Rien n'y fit : il refusa de dire autre chose.

Chapitre 41

— C'est votre troisième rendez-vous ? Ou déjà le quatrième ?

— Sale fouineuse ! s'exclama Jessica en riant.

Elle toucha ses boucles d'oreille en diamant pour la vingtième fois.

— Mais oui, la rassurai-je. Elles sont toujours là.

J'avais économisé pour lui acheter le pendentif assorti chez *Tiffany*. La petite boîte bleue caractéristique reposait sur la cheminée couverte de cadeaux.

Je l'avoue : Sinclair m'avait aidée. Il n'aimait pas le concept de Noël, mais l'idée d'offrir un cadeau extravagant à Jessica lui avait plu. C'était la première fois que nous faisions un cadeau à quelqu'un ensemble.

— Tu ressembles à un arbre de Noël bien décoré.

— Tu veux dire que cette robe verte me fait un gros cul ?

— Non, non. Tu es simplement en accord avec les fêtes.

— Tu as trouvé quoi offrir à Sinclair ?

— Oui : je lui ai dit qu'il n'avait pas à désensorceler Jon.

— Si je comprends bien, dit Jessica en essayant de trouver une formulation, Jon ne se souviendra pas qu'il a écrit un livre sur toi.

— Voilà. Ce n'est pas très sympa, mais je ne peux pas seulement penser à ma petite personne dans cette histoire. Des tas de vampires comptent sur moi pour les protéger. Je l'ai enfin compris lorsque j'ai sauvé George des griffes de Laura. Enfin, quelques jours après. Même s'ils l'ignorent, je dois jouer mon rôle. Conclusion : pas de livre sur ma vie.

— Je suppose que si c'est ta vision du rôle de reine, il doit vraiment en être ainsi. Tu es la reine, après tout.

— C'est vrai. Je ne pourrais pas épouser Sinclair et protéger les vampires si je ne l'étais pas. Même à mes oreilles, ça paraît stupide.

— « Stupide » est un peu fort, dit-elle d'un air absent en allongeant ses cils avec du mascara.

— Jon n'est pas supposé rendre son devoir de bio après les vacances de Noël ?

— Si, répondis-je en riant d'un air sadique. Sinclair le rédige à sa place. Et il n'a pas intérêt à refiler tout le boulot à Tina. Il a choisi l'histoire de la vie de Grover Cleveland, un président des États-Unis. Apparemment, il l'a connu personnellement.

Je gloussai. Décidément, c'était la punition parfaite !

— Tu as pu discuter avec Laura ?

— Non. (Soudain, je n'avais plus envie de rire.) Je ne sais pas quoi lui dire sans avoir l'air trop sévère. On espère tous qu'il s'agissait d'un accident. Avec la mère qu'elle a, elle a forcément hérité d'un sale caractère. Et puis, le gars méritait une bonne correction.

— C'est votre conclusion officielle ? Le gars le méritait ?

— Bien sûr que non, rétorquai-je. Mais pour l'instant, je ne peux pas faire mieux. Nick n'avait pas l'air particulièrement bouleversé non plus.

— Son énorme promotion y est peut-être pour quelque chose, admit-elle. On va fêter ça ce soir. L'unité spéciale va être dissolue. Nick va retrouver une activité normale. L'assassin est mort. Et les Scoman vont pouvoir passer un merveilleux Noël en famille.

— En espérant qu'elle arrête un jour de faire des cauchemars.

— C'est ton petit fantôme qui te l'a dit ? Quelle voyeuse, celle-là.

— Hé ! J'ai entendu ! lança Cathie en apparaissant soudain avant de s'éclipser aussitôt pour embêter les gars qui installaient le sapin dans la maison.

De toute façon, ce n'était pas comme s'ils pouvaient l'entendre. Nous étions en retard pour décorer la maison cette année et, par politesse envers Sinclair et Tina, Jessica, Marc et moi n'étions pas allés le chercher. Que Jessica le commande et le fasse livrer avait déjà été source de nombreuses disputes.

Pas la peine de préciser que ces deux-là éviteraient l'aile est de la maison comme la peste jusqu'au Nouvel An.

— Entre mourir ou vivre avec des cauchemars, le choix n'est pas difficile. Même si j'aurais préféré qu'elle n'ait pas à subir tout ça.

— Tu l'as sauvée, je te rappelle. Le méchant de l'histoire est mort. Sans oublier que tu te maries bientôt ! Si tout va bien…

— Quoi ?

— J'en suis presque sûre. Et moi, j'ai enfin une vie sexuelle.

— C'est un miracle de Noël ! m'exclamai-je de façon exagérée. Avec des démons, des vampires et des tueurs en série refroidis.

— Cette fête est vraiment devenue commerciale, acquiesça-t-elle en remettant une couche de rouge à lèvres. Ça te dit de te faufiler jusqu'au sapin pour y poser une croix, tout à l'heure ?

— Il ne vaut mieux pas. Les pauvres, ils ont déjà assez la frousse comme ça !

— C'est mignon, pour des vampires assoiffés de sang !

— Ne m'en parle pas. On verra l'année prochaine. Après tout, s'ils n'entrent pas dans la pièce, je ne vois pas pourquoi on ne pourrait pas y mettre une croix.

Elle plaça une étole en cachemire autour de ses épaules anguleuses en riant.

— Excellente remarque. Bon, maintenant sur une échelle de 1 à 10… 1 correspondant à ton petit cul mal fringué et 10 à Halle Berry…

— 9,6. Franchement.

— Tu ne sais vraiment pas mentir, ma fille.

Elle m'embrassa avant de tourner les talons, laissant une marque orange sur ma joue et un parfum de Chanel dans l'air.

Chapitre 42

Maman et moi, dans nos chemises de nuit, venions à peine de souffler nos bougies… Voilà tout ce dont je me souvenais du poème de Clement Moore. Ma mère, elle, pouvait réciter les vingt strophes, si mes souvenirs étaient bons, dans leur intégralité. Jess, Marc, Jon et moi avions prévu de dîner chez elle le lendemain soir pour le réveillon de Noël. Elle me le raconterait.

Quand je refermai la porte de ma – notre – chambre derrière moi, je me rendis compte que Sinclair s'était caché dans le lit, recroquevillé sous les couvertures.

— Il est ici, pas vrai ? me demanda-t-il. Je le sens. Il aspire mon énergie.

— Tu es pire qu'un gosse ! C'est un arbre de Noël, pas une arme nucléaire.

Il frissonna.

— On ne voit pas les choses de la même façon !

— Il n'est même pas si grand que ça ! (Je posai la main contre ma hanche.) Il m'arrive ici. On a dû ranger la plupart des décorations dans le grenier.

— Dis-moi qu'il ne reste que deux jours.

— On vient à peine de le décorer ! Oh ! Pendant que j'y pense ! Je suppose que tu ne veux pas m'accompagner au repas de tu-sais-quoi chez ma mère ?

Il grimaça comme s'il avait senti une mauvaise odeur.

— Ta mère est une bien charmante dame. En d'autres circonstances, j'en aurais été ravi…

— « Merci, mais non merci », c'est ça ?

— Je ne compte pas mettre les pieds hors de cette maison avant le 26.

— Franchement !

— Tu ne peux pas comprendre ce qui est à la fois source d'admiration et cause d'effroi.

— Oui, oui… tu es sûrement trop traumatisé pour réussir à bander…

Il m'adressa un regard ahuri.

— N'exagère pas, quand même !

Épilogue

— Merci de ne pas avoir déshypnotisé Jon, marmonnai-je d'une voix endormie un peu plus tard.

Son rire résonna bruyamment à mon oreille collée contre son torse.

— Ce qui me fait penser que mon devoir sur le président Cleveland est presque terminé.

— Ha ! C'est bien fait pour toi. Merci.

— Il n'y a qu'un tout petit problème.

— À propos du devoir ?

— Non. J'ai bien peur qu'il s'agisse d'autre chose.

— Il n'y a pas de petits problèmes, beau mec. Dis-moi tout.

— Tina et moi avons cherché partout et avons supprimé tous les fichiers que nous pouvions. Mais, apparemment, Jon a fait une autre copie avant que je m'en mêle. Il en a fait quelque chose. J'ignore de quoi il s'agit.

— Pourquoi est-ce que j'ai un mauvais pressentiment ?

— Et si je lui demande et que je m'insinue de nouveau dans son esprit, je risque de mettre en péril…

— Les traces que tu y as déjà laissées, terminai-je d'un air lugubre. Tu penses qu'il l'a déjà rendu à son prof ?

— Je… j'espère. Dans le cas contraire, un manuscrit de trois cents pages narrant nos vies s'est perdu dans la nature. Si ta rubrique continue à marcher, quelqu'un pourrait faire le rapprochement…

— Il réapparaîtra sûrement. Jon a écrit ce livre pour la fac. Ce n'est pas comme s'il avait de mauvaises intentions, pas vrai ? Sinclair ? Pas vrai ?

— Sûrement.

De toute façon, ce rabat-joie n'admettrait jamais qu'il pouvait n'y avoir aucune retombée.

— En attendant, le titre qu'il avait choisi était accrocheur, fit-il remarquer alors que le soleil commençait à se lever. *Vampire et Célibataire.*

— Ça craint, tu veux dire ! répondis-je.

Puis, ce fut le matin. Tout devint sombre autour de moi et je m'enfonçai vers cet endroit où vont les vampires lorsqu'ils ne font pas leurs achats de Noël.

EN AVANT-PREMIÈRE

Découvrez la suite des aventures
de QUEEN BETSY

(version non corrigée)

Traduit de l'anglais (États-Unis) par Cécile Tasson

Bientôt disponible chez Milady

Chapitre premier

— Il y a un zombie dans le grenier, m'avertit George le Monstre au petit déjeuner, d'une voix calme comme la surface d'un étang.

Penché sur son ouvrage de tricot, il repoussait machinalement les mèches blondes qui lui tombaient devant les yeux.

— Mais oui, c'est ça, répondis-je.

En rétrospective, cette réponse désinvolte fut une grave erreur. Je vous explique : ce type – un vampire – qui vit dans la maison achetée par ma meilleure amie avec au moins trois autres personnes, deux vampires et un interne en chirurgie – m'expose un problème, l'existence d'un zombie, suffisamment à l'avance pour que j'aie le temps de m'en occuper et je l'envoie balader !

Si on était dans un film d'horreur et que moi, Betsy Taylor, reine des vampires, je m'amusais à faire une connerie pareille, le public n'aurait pas hésité à lancer du pop-corn et des M&M's à l'écran.

Malheureusement, ce n'était pas du cinéma. Et j'avais franchement merdé.

Il faut dire que j'étais distraite par l'énorme caillou qui brillait à mon annulaire : ma bague de fiançailles. Plutôt ridicule pour quelqu'un qui était supposément déjà marié au roi des vampires annoncé par la prophétie pour les mille prochaines années et officiellement fiancé au seul et unique Éric Sinclair depuis des semaines. Vous n'imaginez pas à quel point j'en avais bavé pour lui faire cracher une demande en mariage. Pour tout vous dire, j'avais encore du mal à croire qu'il avait pensé à se procurer une bague.

La nuit que nous avions passée ensemble la veille me faisait encore frissonner ; un cocktail délirant de sang, de sexe, de chocolat chaud lors d'un détour au *Caribou Coffee*... et enfin, La Bague : un magnifique anneau en or étincelant incrusté de diamants et de rubis.

Lorsqu'il l'avait glissée à mon doigt – duquel elle s'était échappée immédiatement ; j'ai des doigts ridiculement fins –, j'avais fait un effort herculéen pour ne pas couiner d'extase. Nous étions déjà le lendemain, pourtant, je ne pouvais toujours pas en détourner les yeux.

Et puis, ce n'était pas vraiment le petit-déjeuner vu que George et moi ne mangions pas et qu'il était 23 heures. Nous l'appelions ainsi parce que Marc – l'interne en chirurgie – se levait souvent à ce moment-là et engloutissait un muffin avant de partir travailler de nuit.

George – qui s'appelait en fait Garrett, comme nous l'avions découvert peu de temps après qu'il avait commencé à parler – continuait à tricoter une jolie couverture bleu layette qui s'harmonisait parfaitement avec le pull léger que je portais ce soir-là. De mon côté, je reportai mon attention sur la liste des invités. Pas celle du mariage. Celle de ma fête d'anniversaire surprise. Qui n'avait rien d'une surprise, d'ailleurs, mais je ne l'avais dit à personne.

La liste n'était pas longue : ma mère ; mon père ; ma – soupir – belle-mère ; son bébé Jon ; ma proprio, Jessica ; mon fiancé, Éric Sinclair ; Marc ; ma sœur, Laura ; la copine de Garrett, l'autre Anthonia ; notre gentil policier de quartier, Nick ; Tina, l'amie de Sinclair ; Jon, l'ancien chasseur de vampire ; et bien sûr Garrett. La majorité de ces gens-là, je les avais rencontrés après ma mort.

Et évidemment, ils étaient presque tous morts, eux aussi. Comme le disait souvent Marc, qui était pourtant vivant : « Être mort ne changerait pas grand-chose. Je le suis déjà aux yeux de mes ex ! »

Avec Jessica, on avait essayé de lui remonter le moral, mais les quelques gays que nous connaissions ne lui plaisaient pas. En même temps, nous ignorions tout de son type d'hommes. Sans parler du fait qu'arranger des coups est difficile. Presque autant que… d'essayer d'arrêter de boire du sang, par exemple.

Tapotant le carnet de note du bout de mon stylo, j'essayai de mettre au point un plan pour annoncer à Sinclair avant le mariage que j'avais l'intention d'arrêter de boire du sang. Au fil du temps, je m'étais rendu compte que le statut de reine comportait quelques avantages. Par exemple, tous les vampires que je connaissais, y compris Éric, devaient se nourrir tous les jours, alors que moi, je pouvais ne pas avaler une goutte d'O négatif pendant une semaine sans trembler comme une feuille, ni me jeter sur les rats d'égouts. Aussi, pour fêter mon anniversaire et ma première année à cette position merdique de reine, j'avais décidé de laisser tomber définitivement les transfusions. Qu'on se le dise : j'allais adopter un régime sans hémoglobine !

En parler à Éric était une tout autre affaire. En général, il ne prêtait pas attention à mes lubies. Mais dans nos moments intimes, au moins l'un d'entre nous mordait l'autre. Parfois plus d'une fois. Même si ça me dégoûtait, l'échange de sang pendant le sexe rendait les choses plus intenses.

— Tu touches le fond, Betsy, dit Jessica qui jeta un coup d'œil par-dessus mon épaule sur le chemin de la machine à café. Je n'arrive pas à croire que tu fasses une liste de cadeaux. Miss Manners [1] doit se retourner dans sa tombe.

— Elle n'est pas morte, je te signale ! De toute façon, ce n'est pas une liste de cadeaux. C'est la liste des gens que tu vas inviter à ma fête d'anniversaire surprise.

Jessica, grande bringue d'une minceur maladive à la peau couleur chocolat au lait de chez Godiva, me rit au nez.

— Chérie, je m'en veux de te dire ça, mais on n'organise aucune fête !

— Par contre, poursuivis-je, ne te démène pas pour inviter le Thon. Son absence ne me gênera pas.

— Ma puce… (Fidèle à son rituel quotidien, elle abandonna l'idée de réussir à faire marcher la machine à expresso et se prépara un chocolat chaud.) Tu as été parfaitement claire il y a deux mois : pas de fête. On t'a crue sur parole. Alors arrête de faire des listes et de t'inquiéter quant à la présence de ta belle-mère. Ça n'aura pas lieu.

— Vous parlez encore de l'anniversaire surprise qui n'existe pas ? demanda soudain Tina.

Je sursautai. Pieds nus, elle ne faisait aucun bruit contre le carrelage couleur trèfle immaculé de la cuisine.

— Si ça continue, je vais t'attacher une clochette autour de tes jolies petites chevilles, la menaçai-je.

1. Miss Manners est le pseudonyme d'une journaliste américaine spécialisée dans les questions de savoir-vivre et d'étiquette. (*NdT*)

Tina l'avait tellement surprise que Jessica avait failli s'étouffer en buvant. Elle inspira profondément avant de prendre la parole :

— Elle nous dit qu'on le regrettera toute notre vie si on lui organise une fête et maintenant, elle fait une liste des invités !

— Reyne Elizabeth, constance est votre deuxième prénom ! marmonna Tina en glissant son petit cul sur le tabouret de bar près de George.

Je veux dire Garrett, putain ! Comme d'habitude, elle avait le look de l'étudiante la plus séduisante de la création : longs cheveux blonds, grands yeux, jupe noire au niveau des genoux, chemise blanche haute couture, jambes nues et escarpins noirs. De nos jours, peu d'étudiants avaient été témoins de la guerre de Sécession, pourtant les bombes mortes-vivantes comme Tina avaient toujours les seins aussi fermes.

— Que désirez-vous pour votre anniversaire, Majesté ? me demanda-t-elle pendant que je lorgnais d'un regard jaloux ses melons éternels.

Ses fonctions consistaient à servir d'« homme de main » à Éric, qu'elle avait transformé en vampire des dizaines d'années auparavant. Depuis qu'elle avait arrêté de boire son sang, elle se limitait à défroisser l'édition matinale du *Wall Street Journal* pour lui, de lui préparer du thé à son goût, et de lui présenter des piles de paperasse à lire.

— De jolies chaussures, je suppose ?

— Tu supposes mal ! répondis-je. Je veux la paix sur terre et l'harmonie entre les hommes.

— Ils ont ça en rayon, au centre commercial ? s'enquit Jessica d'un air innocent. Ou peut-être que ça se vend dans la rue ? Juste à côté du tireur de portrait et du gars qui vend des tee-shirts avec des blagues cochonnes dessus ?

Elle regardait sans vergogne les Post-it que Tina avait étalés sur le bar en marbre.

— C'est la seule chose qu'ils n'auront pas, dis-je. Tina, Jessica, je vous connais ! C'est précisément parce que je vous ai demandé de ne pas m'organiser de fête que vous allez le faire. Mais si vous préférez conserver l'illusion de surprise, c'est vous qui voyez. Pas de fête. À la place, prenez le temps de prier pour la paix dans le monde et l'harmonie universelle dont je vous parlais précédemment. Si vous n'y arrivez pas, dénichez-moi une carte cadeau de chez *Bloomingdale's*.

— Ou peut-être une paire de mocassins de la nouvelle collection Prada ? ajouta Jessica.

— Non, j'en ai marre des mocassins. Le printemps est là. Je veux des petites sandales.

Ce qui était un peu idiot puisque ces derniers temps j'avais toujours froid aux mains et aux pieds et que je ne pouvais pas porter ce genre de chaussures avec des chaussettes. Ça ne changeait rien au fait que j'en avais marre de l'hiver. Malheureusement, j'habitais dans le Minnesota et j'avais encore deux mois de neige devant moi.

— Ouais, rétorqua Jessica, comme si tu n'en avais pas assez non plus !

— Tu peux te les mettre dans ton mignon petit cul ! lui suggérai-je en toute amitié.

— Dans ce cas-là, Mlle Taylor, je te suggère de prendre ton joli petit nez ivoire et de…

Tin interrompit la dispute du jour.

— Majesté, y a-t-il des marques de chaussures que vous n'aimez pas ?

Garrett s'éclaircit la voix en commençant un nouveau point – tricot, point de croix, crochet : pour moi, c'était du pareil au même.

— Elle ne porte aucun intérêt aux sandales de Rickard Shah. Les dorées en particulier.

— C'est vrai, acquiesçai-je. Elles ont l'air de sortir tout droit des loges de *La Fièvre du samedi soir*. Ils ont oublié en quelle année on était ou quoi ? Je serais prête à payer pour ne pas les porter !

— Ce ne sera pas la peine, dit Éric Sinclair sans prêter attention à mon cri de surprise et au bond de Jessica.

Il était encore pire que Tina. Là où elle glissait en silence, lui se téléportait comme un extraterrestre. Un grand extraterrestre beau à croquer, avec des épaules larges et des yeux et cheveux bruns.

— Tu as des milliers de sandales.

— Même pas vrai. Lis ta paperasse et laisse-moi tranquille.

— Une liste d'invités ? lut-il à voix haute par-dessus mon épaule. Je croyais que tu ne voulais pas de fête.

— Bien sûr que non ! (Je refermai mon carnet de notes d'un air rageur. Je n'en avais pas envie. J'en étais presque sûre.) Combien de fois vais-je devoir vous le répéter ?

Ne vous méprenez pas : je suis tout à fait consciente de mes tics et de mes caprices agaçants. Rien ne remet mieux les idées en place qu'un choc frontal avec une Pontiac Aztek.

Mais je ne peux pas m'empêcher de dire des conneries. Ma situation est impossible. Malgré mon statut de reine des vampires, vous seriez étonnés du nombre de vents que je me prends. Alors, me répéter *ad nauseam* est l'un des moyens que j'ai trouvés pour me faire entendre. Je ne suis pas encore suffisamment douée pour me faire respecter en silence comme Sinclair. Je ne suis pas non plus intelligente comme Tina, ou riche comme Jess. Ni un fantôme comme Cathie. Ni médecin comme Marc ; ou encore un loup-garou blasé et télépathe comme Anthonia. Vous savez ce que ça fait d'être appelée « reine » alors que parmi vos proches, vous êtes celle qui a le moins à offrir ? Autant vous dire que ça en fout un coup à l'ego.

— On a compris, Betsy, disait Jessica. Pas de fête. Très bien.

— Parfait !

— Pourquoi est-ce que tu… (Jessica fit de grands signes à Sinclair et il se reprit.) Peu importe. Tu es prête pour nos invités ?

— Quels invités ?

Je tentai de ne pas flipper. Ils m'avaient vraiment organisé une fête ! Les salauds ! En plus, ils me déstabilisaient en la faisant deux semaines avant mon anniversaire.

Sinclair soupira. Pour lui, c'était l'équivalent d'une crise de nerf.

— Je t'en supplie, ne dis pas « quels invités » comme si tu avais oublié que nous recevons la délégation européenne à minuit ce soir.

— Et Sophie et Liam, ajouta Tina en jetant un coup d'œil à ses Post-it.

— Je sais. Je sais.

Et c'était vraiment le cas. Sophie et Liam ne me dérangeaient pas. Sophie était une charmante vampire qui vivait dans une petite ville au nord de Minneapolis avec Liam, son petit ami trentenaire et bien vivant. Ils étaient ensemble depuis quelques mois. Peu de temps auparavant, ils nous avaient aidés à attraper une raclure, un vampire qui prenait son pied en séduisant des étudiantes pour les rendre folles amoureuses de lui et les pousser au suicide.

En fait, Sophie m'avait redonné espoir en la communauté vampirique. À mes yeux, la plupart d'entre nous n'étaient que des connards, des hommes et des femmes qui prenaient leur pied en commettant des crimes, alors que Sophie, elle, était bien plus innocente. La nature démoniaque qui consumait les vampires ne semblait pas l'atteindre.

Aussi, savoir qu'elle venait nous rendre visite avec le charmant – bien qu'un peu terne – Liam me convenait parfaitement.

En revanche, je n'avais vraiment pas besoin que la délégation européenne, un groupe de vampires anciens à l'accent guindé, vienne m'emmerder deux semaines avant mon anniversaire. Comme si passer le cap de la trentaine l'année dernière – et mourir au passage – n'avait pas été suffisamment traumatisant !

— Je n'ai pas oublié, dis-je.

C'était la vérité. J'avais simplement fait de mon mieux pour ne pas y penser.

Sinclair se recoiffa alors que ses cheveux étaient déjà parfaitement en place. Oh oh ! Ça n'annonçait rien de bon.

— Jessica, je me demandais si tu pouvais nous excuser…

— N'y pense même pas, prévint-elle. Tu ne me mettras pas à la porte de votre réunion entre morts. Marc compte sur moi pour lui rapporter toutes les conneries que vous inventez !

Éric parla à Tina dans une langue que je ne connaissais pas. C'est-à-dire toute autre langue que la mienne, en somme. Elle répondit dans le même charabia, si bien que leur échange dura plusieurs minutes.

—Je suis sûre qu'ils sont en train de décider s'ils doivent te mettre à la porte quand même, dis-je à Jess.

—Pas possible !

—Et si on s'inventait notre propre langue, nous aussi ? Ce sera une langue secrète que les vampires malpolis ne comprennent pas. Na.

Malgré mon regard assassin, Tina et Éric continuèrent à discuter. Comme je ne savais pas s'ils le faisaient exprès ou s'ils ne m'avaient vraiment pas entendue, je décidai d'agir avec maturité. Autrement dit, je me mis à beugler.

—C'EST SÛREMENT UN PROBLÈME DE SÉCURITÉ. TU SAIS BIEN QUE LES VIEUX VAMPIRES SE PRENNENT POUR LES ROIS DU MONDE. C'EST POUR ÇA QUE CES DEUX-LÀ S'AMUSENT À LES INVITER ICI. POUR RÉSUMER : L'UN D'EUX VA ESSAYER DE TE MORDRE ET ÇA VA DÉCLENCHER UNE BAGARRE. CE NE SERA PAS BEAU À VOIR, ALORS QU'ON POURRAIT ÉVITER TOUT ÇA SI TU ALLAIS TENIR COMPAGNIE À GARRETT AU SOUS-SOL.

—Non, non et non. C'est ma maison. Sans vouloir te blesser, Garrett.

Pour toute réponse, Garrett haussa les épaules. Il ne s'était pas beaucoup manifesté depuis son intervention sur les sandales. Il se concentrait sur son tricot. Dernièrement, il passait plus de temps dans la cuisine : sa petite amie, un loup-garou qui ne se transformait jamais en loup, était dans le Massachusetts. Apparemment, la femme de son chef de meute venait d'accoucher de leur dernier enfant. Elle avait râlé, mais elle y était allée

quand même. Garrett avait préféré rester. Je n'y voya
aucun inconvénient : on avait largement la place. O
aurait même eu la place pour accueillir la moitié de la meute d'Anthonia si elle revenait avec.

Je devais admettre que je ne comprenais pas ce qu'Anthonia – le loup-garou, pas ma belle-mère – lui trouvait.

Petit aparté : Vous ne trouvez pas ça bizarre que je connaisse deux femmes qui s'appellent Anthonia ? Jessica était persuadée que ça avait un sens caché. Pour ma part, je pensais que c'était un coup de bol.

Reprenons notre discussion à propos de Garrett. Ne vous méprenez pas. Je le trouvais très beau – il y avait très peu de vampires moches –, mais il n'avait pas inventé la poudre. Sans oublier que quelques semaines auparavant il avançait à quatre pattes et buvait du sang dans une écuelle. Anthonia, elle, était intelligente et, en plus, elle voyait l'avenir. L'avenir, quoi ! Elle aurait pu séduire n'importe qui !

Bien sûr, elle aurait nié. Ardemment. Je n'arrivais pas à comprendre comment une si jolie brune avec un corps de mannequin pour lingerie pouvait avoir aussi peu confiance en elle. Pourtant, c'était bien le cas. Et qui étais-je pour juger ? Après tout, la relation de Garrett et Anthonia fonctionnait plutôt bien.

— Très bien, reprit mon beau gosse de fiancé dans notre langue. Tu peux rester. Mais Jessica, je t'en prie, fais attention à tes paroles et à tes gestes. Ne les regarde pas dans les yeux trop longtemps. Parle-leur uniquement s'ils t'adressent la parole. Oui, monsieur. Oui, madame.

— Assis. Gentil toutou, me moquai-je.

— Et elle, alors ? rétorqua Jessica en me montrant du doigt. Elle a plus besoin d'une leçon d'étiquette que moi !

s ut-être, répondis-je, mais moi, je suis la Reine.
putain de R majuscule. Hé ! Tu me regardes dans
x trop longtemps ! Éric, dis-lui d'arrêter !
-Va te faire voir, marmonna-t-elle avant de gravir
scaliers en faisant semblant de vomir.

Achevé d'imprimer en juin 2011
Par CPI Brodard & Taupin - La Flèche (France)
N° d'impression : 64140
Dépôt légal : juillet 2011
Imprimé en France
81120552-1